BYD Y CYSGODION

Atgofion PC Huw Morgan

BYD Y CYSGODION

Atgofion PC Huw Morgan

GWYNFOR LLOYD GRIFFITHS

ISBN 978-1-907424-69-4

Cyhoeddwyd ac argraffwyd gan
Wasg y Bwthyn, Caernarfon
gwasgybwthyn@btconnect.com

CYFLWYNEDIG

ER COF AM FY ANNWYL WRAIG

PATRICIA GRIFFITHS

DIOLCH I:

EMYR A GRACIE, ENGEDI AM EU CYMORTH HAEL

GARETH EVANS JONES

GERAINT LLOYD OWEN

GWASG Y BWTHYN

RHAGAIR

Ar ddechrau'r unfed ganrif ar hugain, mae rhaglenni teledu dychmygol a ffeithiol am fywyd yr heddlu yn dueddol o'u dangos i gyd mewn ceir cyflym ond weithiau gallwn lithro'n ôl i gyfnod mwy hamddenol pan oedd y plismon lleol yn adnabod ei 'batch' a'i bobl yn dda wrth iddo gerdded y stryd a siarad â'r cyhoedd.

Perthyn i gyfnod felly mae Gwynfor Lloyd Griffiths, daliwr lladron profiadol, ac wrth dynnu ar ei brofiad a'i wybodaeth am waith beunyddiol yr heddlu y mae wedi llunio yn y gyfrol hon ddarlun o fywyd plismon wrth ei waith. Yn *Byd y Cysgodion*, ceir nifer o straeon sydd yn dangos amrywiol agweddau ar waith yr heddlu ac wrth ddarllen hynt a helynt PC 59 Huw Morgan, gellid yn hawdd deimlo eich bod yn perthyn i gyfnod pan oedd y cyhoedd yn parchu'r heddlu ac yn gwerthfawrogi eu gwaith lawer mwy na wneir heddiw. Wrth i'r darllenydd ddilyn gyrfa PC 59, mae Aberlleni a'r cymeriadau da a drwg sydd yn byw yno yn dod yn fyw – dim ond i chi gau'ch llygaid a dychmygu. Fel yr Huw Morgan ddychmygol, dringodd Gwynfor Lloyd Griffiths i fod yn Dditectif, bu'n rhan o ymchwiliadau trylwyr a phrofodd lwyddiant yn datrys achosion dyrys. Ceir ganddo bortread o waith anodd ond diddorol tu hwnt.

Cyn dechrau darllen y llyfr, cofiwch gloi'r drws. Wyddoch chi ddim pwy sy'n prowla yn y cysgodion! Diolch fod aelodau o'r heddlu yna i'n gwarchod.

JOHN RICHARD WILLIAMS
Llangefni

Dychmygol yw holl gymeriadau'r nofel hon.
Mae unrhyw debygrwydd i unigolion a fu neu sy'n bod
yn gwbl ddamweiniol.

Pennod 1

Mis Awst 1955 oedd hi ac roeddwn i, PC 59 Huw Morgan wedi bod yn gweithio yn nhref Aberlleni ers dwy flynedd, ac yn teimlo'n reit hapus hefo fi fy hun gan fod fy nghyfnod ar brawf wedi dod i ben, a hwnnw'n gyfnod llwyddiannus. Gan fod y Rhingyll James, a oedd yn fy arolygu yn ystod fy nghyfnod prawf, yn fodlon efo safon fy ngwaith, gallwn lacio dipyn bach yn enwedig gan fod y Prif Swyddog, William Evans o bawb wedi mynegi ei fodlonrwydd wrthyf:

'Wel, Morgan, rydach chi wedi gweithio'n galed dros y ddwy flynedd ddwytha, pob lwc i chi yn y dyfodol.'

Roeddwn wrthi'n pori drwy hen ffotograffau mewn bocs sgidiau'r prynhawn hwnnw cyn dechrau fy shifft am 2 o'r gloch. Wrth godi'r naill lun ar ôl y llall byddai fy meddwl yn crwydro ar hyd llwybrau amrywiol fy ngorffennol ac yn dod â sawl atgof yn glir i'm meddwl.

Cofio eistedd wrth fwrdd y gegin yn chwarae cardiau hefo 'mrawd a'm traed yn rhy fyr i gyrraedd y llawr. Roedd y lluniau yn dwyn atgofion hapus o fy nheulu bach yn fferm 'Allt Wen', a oedd rhyw filltir o bentref bach Abernant. Yn y fferm honno y magwyd fy nhad a chenedlaethau o'r teulu o'i flaen. A chyn ymuno gyda'r heddlu yno roeddwn innau, gyda mam a 'nhad ac Ifan, fy mrawd, a oedd ychydig flynyddoedd yn hŷn na mi.

Roedd fy mam, Margaret, neu Margiad fel roedd pawb yn

ei galw, wedi cael ei geni yn Abernant, yn un o chwech o blant a fagwyd ar fferm. Yn ôl fy mam roedd fy nhad wedi syrthio mewn cariad â hi'n syth pan gwrddasant ei gilydd ar hap mewn caffi yn y dref un diwrnod. Chwe mis yn ddiweddarach roedd y ddau'n priodi yng Nghapel Bach Bethesda, Abernant.

Roedd Ifan a finnau'n agos iawn at ein gilydd ond gwyddwn fod Ifan yn llawer mwy medrus ar y ffarm na fi, ac ers yn ddim o beth roedd yn amlwg i mi mai yn Allt Wen y byddai dyfodol Ifan, yn trin y tir ac yn gofalu am yr anifeiliaid. Yn wir byddwn yn sôn wrth 'nhad yn reit aml yr hoffwn i fod yn blismon ar ôl tyfu'n ddyn ond byddai ateb fy nhad bob tro'n troi o gwmpas yr un tant:

'Mi fydd yna hen ddigon o waith yma i ti ac i Ifan ar ôl i mi fynd, cofia di hynny.'

Codais lun oedd â rhych amlwg yn ei ganol ohonof i ac Ifan yn tynnu rhaff yn y sgubor. Wrth gwrs, Ifan fyddai'n ennill yr ymryson bob tro: Fedrwn i ddim cystadlu â'r fath freichiau nerthol.

O dan hwnnw roedd llun du a gwyn a oedd wedi dal golygfa yn ystod diwrnod dyrnu; y gweithwyr wrthi'n ddygn a gwres y dydd yn amlwg ar eu gruddiau. Gallaf ddal i gofio'r cinio dyrnwr y byddem yn ei gael: y gweithwyr yn eistedd o amgylch bwrdd hir yn y gegin orau a minnau'n dal i rwbio fy llygaid ar ôl bod yn hel y plisg o dan yr hen ddyrnwr. Gwaith caib a rhaw ond gwaith yr oeddwn i'n mwynhau ei wneud, pan âi pethau'n iawn.

Rwy'n cofio unwaith i mi fod wrthi'n llyfnu hefo'r hen gaseg a'r un ohonom yn hoff o'r dasg. Hithau'n tuthio'n gwynfanllyd yn ei blaen a minnau'n gwneud fy ngorau glas i'w llywio, ac yn methu. Fe drodd y gaseg yn rhy sydyn ym mhen y cae a chwympodd yr og ben uchaf isaf. Roedd hi, a minnau'n lwcus iawn i fod yn fyw ar ôl hynny.

Yn y man deuthum ar draws llun o fy nain yn sefyll wrth y llidiart gyda'i ffedog lwyd yn dynn amdani a Mot, yr hen gi defaid, wrth ei hochr. Daeth gwên i'm hwyneb wrth gofio fel y byddai'r wraig a edrychai mor eiddil yn y llun, â godre'i sgert wedi'i stwffio i'w blwmar, yn mynd i ganol yr afon a redai heibio'r tŷ, ac yn dal eog yn rhwydd gyda'i dwylo. Gallai'r wraig fechan hefyd godi wal gerrig mewn dim o dro. Ei dillad gorau oedd amdani yn y llun. Fel arfer, gwisgai hen flows oedd wedi colli'i lliw, sgert garpiog a brynodd yn Llandudno flynyddoedd cyn i mi gael fy ngeni, a chap pig ar ei phen.

Y cwpl comig yng ngwir ystyr y gair oedd fy nain a'm taid, Gruffydd Morgan. Tra bo nain yn wraig fechan, eiddil yr olwg, a'i sgwrs yn un fyrlymus bob tro, gŵr trwchus a thawedog oedd fy nhaid. Gallai siarad yn lled rwydd, yn huawdl iawn a dweud y gwir, ond anaml y gwnâi hynny. Tawel ei ymarweddiad ac araf ei gam ydoedd. Ond roedd ganddo'r fath galon na fyddai'n gallu goddef gweld rhywun mewn gwendid. Ei ddiddordeb pennaf oedd gofalu am yr ardd ac arferai dreulio oriau bwygilydd yno'n potsian. Llwyddodd i dyfu rhiwbob coch mewn man na lwyddwyd erioed i dyfu'r un daten, a hyd heddiw mae'r goeden afal a blannodd yn bwrw'i blagur yn flynyddol. Yr unig fynediad i'r ardd bryd hynny oedd drwy giât haearn a fyddai bob tro wedi'i chloi. Heb yn wybod i 'nhaid, byddwn yn mynd i'r ardd yn aml ac yn casglu ychydig o'r afalau surion. Yn anffodus, bu iddo farw cyn iddo gyrraedd ei 70 oed ac yntau'n dal i fod yn llawn egni ac asbri bywyd. Ni chladdodd odid neb erioed ym mynwent Capel Salem gyfaill mwy hynaws ag o.

Yng ngwaelod y bocs roedd llun ohonof i pan oeddwn yn saith mlwydd oed yn eistedd ar lin fy nain. Roeddwn yn llwyd iawn yr olwg gan fy mod, pan dynnwyd y llun, newydd ddychwelyd o'r ysbyty ar ôl dioddef o lid yr ysgyfaint. Yn sownd i gefn y llun hwnnw roedd yr un a dynnwyd pan ddychwelais i'r ysgol, a'r ddau Huw mor wahanol i'w gilydd: roedd pawb yn eu dillad gorau a Mr Arthur Jones yn drwsiadus iawn yng nghanol y plant a oedd yn amlwg newydd gael eu siarsio i fod yn dawel. Doedd dim llawer o'r plant yn hoff iawn ohono a dweud y gwir. Byddent yn ei watwar yn gyson drwy gerdded o gwmpas y buarth chwarae, yn gloff eu cam â'u pennau'n uchel yn yr awyr. Y sôn oedd ei fod wedi'i glwyfo yn ystod yr Ail Ryfel Byd ond nid oedd hynny'n ennyn cydymdeimlad gan fawr ddim o'r plant.

Cofiaf i mi unwaith ofyn, 'Ydach chi'n meddwl y byswn i'n gneud plisman da, Syr?'

A'r ateb swta a gefais ganddo oedd, 'Wel, mae gwaith plismon yn waith peryglus iawn Huw.'

A minnau ar fin cadw'r bocs, deuthum ar draws llun o 'nhad yn pysgota ar lan afon. Llyngyr oedd yr unig beth a ddefnyddiai fel abwyd gan mai'r pryfyn yna oedd y gorau i godi chwant brithyll.

Yn ystod nosweithiau hirion yr haf byddai fy nhad yno'n brysur gyda'i wialen bysgota, minnau'n eistedd ar y gwair y tu ôl iddo, a bron dim un gair yn crwydro rhyngom. Roedd su'r afon a cheinder yr ardal yn ddigon. Rwy'n cofio unwaith i mi dynnu fy nghap a'i osod yn glustog i mi gael bachu ar gyntun. Yn fuan wedyn cefais fy neffro wrth deimlo rhywbeth yn tynnu fy ngwallt. Codi'n sydyn a gweld un o'r heffrod gyda fy nghap yn ei cheg. Chwerthin a wnaeth fy nhad wrth weld y dychryn ar fy wyneb. Chwerthin wnes innau wedyn ond roeddwn yn dal i ddamnio'r heffer am ddifetha fy nghap gorau.

Yn y diwedd gorfodais fy hun i gadw'r bocs gan fod y bore wedi hen fynd heibio a'r shifft olaf yn prysur nesáu.

Roedd hi'n hanner awr wedi un pan ddringais ar fy meic a'i chychwyn hi am y stesion. Pan gyrhaeddais yno, roedd y Rhingyll James yn sefyll wrth y drws, newydd ddiffodd ei smôc ac yn edrych yn fanwl ar gynnwys ei law.

'Ar ei hôl hi dipyn heddiw 'ma Morgan,' meddai, wrth gadw'r wats yn ei boced. 'Mae'r Arolygydd wedi bod isio cael gair efo chdi yn ei swyddfa ers sbel. Brysia rŵan neu fydd Evans wedi cael hartan.'

O weld ei wyneb di-ystum dechreuais deimlo braidd yn anniddig. Anaml iawn y bues i mewn cyfarfod efo'r Arolygwr yn ystod fy nwy flynedd yn Aberlleni, ond heb oedi rhagor trois am y swyddfa.

'Eisteddwch Morgan,' meddai gan dynnu'r gadair o dan y bwrdd.

'Diolch Syr.'

'Wel Morgan . . . Does gen i ddim ond canmoliaeth i chi am weithio mor galed yma yn ystod eich cyfnod prawf. Mae'r adroddiadau wedi bod yn dda a sawl trosedd wedi'i datrys yn llwyddiannus gennych chi.' Yna cymerodd lymaid o'i baned a dyma fi'n ceisio sychu'r chwys oddi ar fy nhalcen heb wneud hynny'n amlwg. 'Rydach chi'n gwnstabl go iawn rŵan a chyfnod newydd o'ch blaen . . .'

Agorodd ddrôr ei ddesg a thynnu taflen ohoni. 'Gyda llaw, mae'r Prif Gwnstabl wedi trefnu llety i chi yng Nghaermanog. Fyddwch chi'n symud yno ddydd Sadwrn erbyn eich shifft gyntaf ddydd Llun . . . Wel, does gen i'm byd arall i'w ddweud rŵan ar wahân i da bo chi Morgan, a phob lwc.'

Wedi ysgwyd llaw digon llipa ar fy rhan i, gadewais y swyddfa i ddechrau ar fy shifft olaf yn crwydro strydoedd Aberlleni. Ac wrth i mi gerdded drwy'r drysau clywais y Rhingyll Pugh yn gweiddi o'i swyddfa; 'Trïwch beidio â bod yng nghanol rhyw drosedd ar eich diwrnod ola' Morgan.'

Dechreuodd y prynhawn yn weddol dawel ac am ran fwyaf o'r amser ffarwelio wrth yr hwn a'r llall oeddwn i. Ond erbyn chwech o'r gloch, a minnau ar fin mynd am damaid o de daeth y gri: 'Stop him officer! He's ran away with my takings!'

Trois i gyfeiriad y llais a gweld bachgen ifanc yn rhedeg o gyfeiriad y siop bapur ar gornel y stryd. Pan welodd fi fe drodd ar ei sawdl a'i goleuo hi am yr ale gul. Fel ci wedi clywed ogla cig yr ymatebais.

Roedd y llefnyn yn ysgafn iawn ei droed a pho hiraf y daliwn ati i'w ganlyn y lleta'n byd oedd y pellter rhyngom yn mynd, felly dyma fi'n cael syniad a doedd waeth imi ei drio ddim:

'I know who you are – So I'll see you at your home later!'

Er mawr syndod i mi stopiodd y bachgen yn stond a throdd, yn ddigon anfoddog, i'm hwynebu. Euthum ag ef i'r stesion ac fe gafodd dreulio'r noson yn un o'r celloedd. Un digon diniwed oedd o yn y bôn.

Ar ôl gadael y stesion euthum ar fy union i Westy'r Wennol a ffarwelio gyda'm cydweithwyr. Anghofiaf fyth y noson a dreuliais yn eu cwmni: Wil wrth y piano a phawb yn morio canu'r hen ganeuon tan oriau mân y bore. A hyd heddiw nid wyf yn cofio sut yr es yn fy ôl i'r fflat ond mae'r cur a deimlais drannoeth yn dal i fod yn glir yn fy nghof.

Pennod 2

Cyrhaeddodd mis Medi 1955, a minnau ar bigau'r drain at ddechrau pennod newydd yn fy ngyrfa yn nhref Caermanog, a oedd ryw saith milltir o Aberlleni. Tref gydag oddeutu deugain mil o bobl yn byw ynddi, a llawer o'r rheiny'n bobl ddŵad a weithiai yn y stadau diwydiannol oedd Caermanog; amgylchfyd cwbl estron i blismon glas o gefn gwlad.

Cefais wybod y byddwn yn lletya gyda gwraig weddw o'r enw Emma Williams a oedd wedi hen arfer cael plismyn fel lletywyr dros y blynyddoedd gan ei bod yn byw o fewn tafliad carreg i stesion yr heddlu.

Cofiaf sefyll yn llwythog yn y drws ffrynt gyda bag ym mhob llaw, a'm gwallt fel nyth dryw ar ôl cerdded yn y gwynt. Ond ni wnaeth fy ngolwg darfu dim ar gyfarchiad Mrs Williams.

'Mistar Morgan bach, croeso i chi yma. Rŵan, dyma chi oriad y drws ffrynt – cofiwch godi'r handlan cyn 'i throi hi, ma'i 'di dechra rhydu. Dyma 'chi chydig o rifa ffôn – ella fyddan nhw o ryw ddefnydd – rhifa tacsis a ballu. A Mistar Morgan bach, dwi wedi cwarfod lot fawr o blismyn dros y blynyddoedd ac mae nifer ohonyn nhw bellach mewn swyddi uchel iawn, felly pob lwc i chi.'

'Diolch yn fawr i chi. A galwch fi'n Huw os gwelwch yn dda.'

''Na ni felly Mistar Morgan bach.'

A Mistar Morgan fuis i fyth wedyn.

Y noson honno dadbaciais a phwyso fy siwt newydd erbyn fy stem cyntaf fore drannoeth. Roeddwn eisoes wedi cael gwybod y byddwn yn treulio'r diwrnod yng nghwmni 'PC 35 Glyn Owen', oedd yn brofiadol iawn wrth ei waith, felly roeddwn yn gymysgfa ryfedd o nerfau a chwilfrydedd. Bûm wrthi'n ddyfal, tra'n eistedd ar erchwyn y gwely'n gwylio goleuadau strydoedd Caermanog yn wincio ar y sêr, yn glanhau fy sgidiau nes eu bod nhwythau'n wincio arnaf, ac yn fy nghaniatáu i gael hugan fach cyn y wawr.

Deffro bore drannoeth ac arogl sawrus wyau, bacwn, selsig a saim yn llenwi'r tŷ. Roedd Mrs Williams wedi mynd i dipyn o drafferth, er y taerai mai dyna'r brecwast y byddai'n ei wneud bob diwrnod. Pe bai hynny'n wir, fyddai yna ddim un plismon ifanc wedi llwyddo i gyrraedd ei dri deg oed.

Tra oeddwn yn cymryd llymaid o'm te fe'i daliais yn edrych arnaf a golwg ddagreuol ar ei hwyneb. Golwg fel mam yn edrych ar ei phlentyn ar ei ddiwrnod cyntaf mewn ysgol newydd.

'Mi rydach chi'n smart iawn yn eich iwnifform Mistar Morgan bach,' a'i gwên yn troi'n un fwy pryfoclyd, 'Bydd merchaid y dre'ma'n dotio o weld plisman newydd ar y stryd heddiw.'

''Dach chi'n meddwl Mrs Williams?' meddwn innau dan wenu.

'Cofiwch y bydd 'ma ginio i chi ar ddiwadd eich stem felly peidiwch â thaflu'ch pres ar ryw sothach heddiw 'ma.'

A minnau heb orffen yr hanner sosej a thomato, daeth Mrs Williams â bocs bwyd i mi a'm cymell i'w throi hi am fy ngwaith.

'Tydach chi'm isio bod yn hwyr ar eich diwrnod cynta'n nac'dach.'

O fewn pum munud i gyrraedd y stesion cefais fy hebrwng i swyddfa'r plismyn lle'r oedd y PC Glyn Owen yn fy nisgwyl. Doeddwn i ddim yn siŵr iawn sut i'w gymryd i ddechrau gan ei fod yn ddyn oedd yn gynnil ei sgwrs, a'i wyneb yn gynilach fyth.

Wedi'r ysgwyd llaw fe aeth â mi o gwmpas rhai o ystafelloedd y stesion cyn fy anrhegu gyda darn o bapur.

'Y *Police Gazette* ydi hwnna – mae'n bwysig dy fod ti'n ei ddarllen o cyn dechra dy stem bob diwrnod, reit? Fel y gweli di mae'n dangos lluniau'r bobl sy' wedi troseddu ac ar restr chwilio'r heddlu.'

Wrth gwrs, roeddwn yn hen gyfarwydd â'r *Police Gazette*, ond gadewais i Owen fy mugeilio, roedd rhyw barch o wneud hynny. Ac allan i Gaermanog â ni.

'Wel, mi awn i lawr Stryd Fawr yn gynta Huw. Mae hi'n reit ddistaw a deud y gwir er bod 'na ddigon o siopa mawr bob ochr iddi. Ond mi dwi isio mynd â chdi i 'Leo's Cafe' i gwrdd â hen ffrind i mi. Mae'r caffi ym mhen y stryd yma yli.'

Erbyn gweld, aethom i mewn i'r caffi drwy'r cefn, ac yno roedd yna ddyn wrthi'n paratoi hufen iâ. Pan welodd ni'n dau'n sefyll yn y drws, cododd ei ddwylo a'n cyfarch;

'*Ciao* Glyn my friend. How nice is to see you. Would you like coffee, or ice cream? Or something towards the 'annwyd' eh? Say who is your friend?'

'No thank you Leo,' atebodd yn sicr, ond â chysgod gwên. 'This is the new constable on the beat – Huw Morgan – it's his first day today.'

'Huw eh? Hope see you often and always for cup of coffee any time – any time of day.'

Ar ôl gadael y caffi rhoddodd Glyn dipyn o hanes Leo i mi. Yn ystod yr Ail Ryfel Byd daethai i Gymru fel carcharor rhyfel a bu'n gweithio ar ffermydd o gwmpas yr ardal am flynyddoedd. Erbyn diwedd y rhyfel roedd o wedi hen setlo a dechreuodd fynd o gwmpas y dref yn gwerthu hufen iâ oddi ar gefn ei feic. Wedi blynyddoedd o wneud hynny, a chynilo pob ceiniog o elw, prynodd y caffi a sefydlu ei fusnes ei hun. Yn ôl Glyn, yr oedd yn un defnyddiol i'w gael yn ffrind, er iddo dueddu i fwydro dipyn.

Ym mhen y stryd fawr troesom y gornel i Stryd y Grocbren, stryd oedd â'i hanes yn amlwg yn yr enw. Arferid, ddwy ganrif yn ôl, ddwyn troseddwyr o flaen eu gwell yno am wneud cyn lleied â dwyn dafad neu dorth. Roedd yr hen adeilad yn dal i sefyll ym mhen y stryd a'r geiriau 'Llys y Goron' bellach ar ei dalcen.

'Fydd fan'no'n debyg i ail gartra i ti cyn bo hir Huw,' dywedodd Glyn wrth i ni gerdded heibio. Meddyliais ar y pryd ei fod yn gor-ddweud. Roeddwn i mor ddibrofiad!

'Yn y stryd yma, mi weli di fod 'na ddwy siop ail law. Mae gen i wybodaeth am un ohonyn nhw fydd o fantais i ti maes o law.'

Eglurodd Glyn i mi fod yr un a gadwai'r siop ail law, '*Fagin's Den*', yn hen genau ac nad oedden nhw wedi llwyddo i'w ddal yn derbyn nwyddau a oedd wedi cael eu dwyn. 'Mae'r diawl yn llwyddo ryw ffordd neu'i gilydd i gael gwared â'r stwff o'r siop yn sydyn iawn.'

Ar ôl gwrando ar Glyn yn siarad am y dyn oedd yn rhedeg

y *'Fagin's Den'* meddyliais y byddai'n well i mi ofyn dipyn o gwestiynau iddo;

'Be mae'r ditectifs yn 'i wneud hefo'r dyn yma ta?'

A'r ateb a gefais oedd, 'Dim llawer! Wyddost ti be Huw, rhyw dair blynedd yn ôl roedd yna dditectif da yn gweithio 'ma. Un garw am allu dal lladron ac mi fu o drwch blewyn i ddal y 'Fagin' yna.

'Lle mae'r ditectif yna rŵan?'

'Yn anffodus mi gafodd ei ladd mewn damwain car . . . dan amgylchiadau amheus.'

'Wyddost ti be Glyn, rydw i am drio fy ngorau glas i fod yn dditectif da. A deud y gwir mi gefis i lwyddiant yn dal lladron yn ystod fy nwy flynedd yn Aberlleni.'

'Wel pob lwc i ti Huw.'

Wedi crwydro'r strydoedd am bedair awr roedd hi'n bryd dychwelyd i'r stesion am ginio. Roedd y ffreutur yno'n lle prysur drwy'r amser; pan fyddai'r naill blismon yn darfod ei shifft byddai un arall yn dechrau ar ei un yntau felly byddai rhywun o hyd yno'n magu paned-pum-munud.

Wrth i mi edrych o amgylch y ffreutur sylwais ar ddyn yn ei ddillad ei hun yn eistedd ar y soffa. Roeddwn yn siŵr fy mod yn ei adnabod ac ar fy ngwir, Cyril Williams, Plas Gwyn, oedd o. Roedd o ddwy flynedd yn hŷn na mi yn yr ysgol ond arferem fod yn dipyn o lawiau. Felly euthum draw ato a chododd yntau gyda gwên fach wrth fy ngweld.

'Wel sut wyt ti Huw, ers blynyddoedd?' Ac ychwanegodd yn ei ffordd gellweirus, 'Ti wedi ymuno efo ni felly . . . Wyt ti'n gall d'wed?!'

Roeddwn erbyn hynny wedi llacio ryw fymryn, yn enwedig o weld wyneb cyfarwydd a oedd bellach yn un o dditectifs y stesion, ac wedi bod gyda'r heddlu ers bron i chwe blynedd. Roeddwn yn teimlo y byddwn, fel y dywedai fy nain, yn 'olreit' yno.

Ar ôl yr egwyl euthum yn ôl ar y strydoedd gyda Glyn er mwyn cyfarwyddo gyda'r ardal. Yr oedd wedi bod yn ddiwrnod tawel a minnau wedi ysgwyd llaw efo'r hwn a'r llall a llawer un yn dymuno'n dda i mi, ond tua phedwar o'r gloch, tra oeddem yn un o'r strydoedd a oedd yn llawn gwestai, clywsom rywun yn gweiddi o un o ffenestri'r lloriau uchaf:

'There's a fight going on in the flat below me – I can hear a woman screaming!'

Felly i mewn i'r adeilad â ni. Ar ôl cael mynediad i'r fflat lle roedd y sŵn sgrechian yn dod gwelsom ddyn ifanc yn dyrnu gwraig ar y llawr yng nghanol pentwr o ddodrefn wedi eu troi. O weld hyn, cythrodd Glyn ym mraich y dyn a'i lusgo oddi ar y wraig oedd â'i hwyneb yn friwiau i gyd. Cododd hithau, bron yn syth, a phwyntio'i bys yn gyhuddgar i gyfeiriad Glyn;

'If you touch my husband, I'll get my solicitor on you. D'yer hear me?! . . . Now get out!'

'Tyrd Huw. Tydi hon ddim angan ein help,' casglodd wrth sylwi ar y cleisiau ar wyneb a breichiau'r dyn.

Mae'n rhaid i mi gyfaddef fy mod braidd yn anfodlon gadael y fflat ond ar y ffordd allan o'r adeilad trodd Glyn ataf, 'Os fedri di, cadwa'n glir o sefyllfaoedd fel 'na. Ddoi di byth i setlo problema rhwng gŵr a gwraig,' a chynghorodd i mi wneud nodyn yn fy llyfr poced, 'rhag ofn iddyn nhw neud cŵyn. Wyddost ti ddim.'

Ar ôl cyrraedd y stesion, cefais fy ngalw i swyddfa'r Rhingyll Williams. Swyddog manwl a chywir wrth ei waith oedd o, ond a oedd hefyd yn tueddu i fod yn lletchwith gyda phlismyn ifanc. Ei bennaf nod gyda'r glas blismyn oedd gwneud yn siŵr fod y nodiadau yn eu llyfr pocedi'n gywir a dyna ni.

Cymerodd ei le y tu ôl i'w ddesg ac yna gofynnodd, 'Wel Morgan, sut ddiwrnod gawsoch chi ar strydoedd Caermanog?'

Rhoddais adroddiad byr ond digon cyflawn iddo gan sicrhau fy mod yn canmol arweiniad Glyn Owen, a'r ateb cwta a gefais oedd;

'Da iawn. Ond cyn i chi fynd adra dwi am fynd â chi o gwmpas y stesion yma – i chi gynefino hefo'r lle.'

Roedd y stesion yn anferth. Roedd ganddi wyth gell, tair ohonynt ar gyfer merched, swyddfa C.I.D, ac ar yr ail lawr roedd nifer o swyddfeydd swyddogion a gweithwyr sifil. Ar ôl dychwelyd i swyddfa'r Rhingyll dywedodd wrthyf fod yna ddeunaw plismon yn gweithio ar y stryd a phedwar rhingyll felly roedd yna ddigon allai fod o gymorth pe bai angen. Cyn gadael y stesion, dywedodd wrthyf i ddechrau fy shifft am ddau o'r gloch y diwrnod canlynol a dyna oedd yr unig sgwrs rhyngom.

Ar ôl dychwelyd i'r llety, cefais lond fy mol o fwyd gan Mrs Williams, a chysgais yn drwm ar ôl y diwrnod cyntaf cyffrous.

Pennod 3

Fore trannoeth, a hithau'n ddiwrnod braf arall ym mis Medi 1955, roeddwn yn edrych ymlaen am yr ail ddiwrnod ar strydoedd Caermanog.

Arferiad cyn mynd allan 'ar y bît' yn ystod y dydd oedd i bawb gael sgwrs efo'r Rhingyll er mwyn cael gwybod am yr hyn oedd wedi digwydd rhwng 10 o'r gloch y noson gynt ac 8 o'r gloch y bore. Cefais wybod bod yna nifer o gerbydau, yn ystod y nos, wedi eu difrodi yn Ffordd Madog felly gofynwyd i mi batrolio o gwmpas y stryd honno a gwneud dipyn o ymholiadau ymysg pobl y cyffiniau.

Roedd Ffordd Madog yn ardal adeiledig â'r rhan fwyaf o'r tai wedi cael eu troi'n fflatiau, llawer ohonynt yn rhai moethus. Yn anffodus, roedd y rhan fwyaf o berchnogion y ceir yn eu gwaith ond bûm yn ddigon lwcus o allu siarad â dau ohonynt. Roedd drws un o'r ceir wedi ei grafu gan rywbeth miniog iawn ac roedd rhywun wedi taflu tynnwr paent dros fonet y car arall gan wneud difrod mawr. Nid oeddent yn amau unrhyw un fel y cyfryw ond dywedais wrthynt y byddwn yn gwneud fy ngorau i ganfod y troseddwr neu'r troseddwyr. Ond wrth i mi adael perchnogion y ceir galwodd un ar fy ôl, 'Dwi'n cofio rhyw fis yn ôl i'r dyn 'na sy'n byw yn Awelon gwyno'i fod o wedi taro mewn i un o'r ceir oedd wedi cael ei barcio ar y palmant.'

Holais Alun Williams yn fwy manwl a chael yr ateb; 'Selwyn Evans ydi'i enw o. Dipyn o rwdlyn a deud y gwir. 'Sgen neb ar y stryd 'ma air da amdano. Fasa fo jyst y math o beth fasa fo'n neud, o ran sbeit.'

Ar ôl diolch i Mr Williams am y wybodaeth roedd yn rhaid i mi fynd i gyfeiriad y caban ffôn ar ben ucha'r stryd rhag ofn y byddai'r Rhingyll eisiau siarad â mi. Ar y pryd, hon oedd yr unig ffordd i gadw mewn cysylltiad â'r stesion.

Nid oeddwn wedi bod yn y caban fwy na dau funud pan ganodd y ffôn. Y Rhingyll Parry oedd yn siarad, eisiau gwybod pob manylyn am hynt y bore. Soniais wrtho fy mod am gael gair â Selwyn Evans ynglŷn â'r difrod i'r ceir, ac yr oedd yn awyddus iawn i mi ei holi gan eu bod yn hen gyfarwydd â Selwyn Evans yn y stesion.

Cefais wybod ei fod yn byw mewn fflat yn Awelon ac ar ôl curo'n galed ar ei ddrws daeth llais blin yn galw, 'Hold on, I'll be there in a minute!'

Roedd yn amlwg fy mod wedi ei godi o'i wely ac ar ôl rhyw bum munud agorodd y drws. Pan welodd fi yno newidiodd ei ystum yn fwy difrifol;

'Be ddiawl sy 'di digwydd i 'neffro i adag yma'r bora?'

Ar ôl fy nghyflwyno fy hun iddo ac esbonio rheswm fy ymholiadau caledodd ei wyneb ymhellach ac aeth yn gyndyn iawn i ddweud dim.

'Aethoch chi allan o'r fflat 'ma neithiwr?'

'Do. Mi es i am gêm o ddarts i'r Kings Head.'

'Pryd ddaethoch chi adra?'

'Tua'r unarddeg 'ma.'

'Welsoch chi rywun yn ymddwyn yn amheus o gwmpas y ceir?'

'Naddo, ddim felly . . . O'n i 'di cael llond bol o gwrw ac yn rhy brysur yn trio gofalu na faswn i'n taro i mewn i un o'r ceir 'na eto i fod yn sbio os oedd 'na rywun o gwmpas.'

Tra oeddwn yn ei holi am y digwyddiad teimlais ei fod yn anesmwytho ac yn tueddu i daflu golwg sydyn i gyfeiriad y gegin. Felly gofynnais a fyddai'n bosib i mi gael cipolwg ar y stafell honno. Yr ateb pendant a gefais oedd;

''Sgynnoch chi warant?'

'Mi fedra i gael un yn reit handi,' atebais innau, yr un mor bendant.

Ond roeddwn mewn sefyllfa ddigon sigledig ar fy mhen fy hun a phan ddechreuais gerdded i gyfeiriad y gegin neidiodd yn sydyn ar fy nghefn, rhoi ei fraich am fy ngwddw a'm tynnu i'r llawr. Dyna lle'r oeddem yn ymgodymu am rai munudau fel dau reslar. Ond yn y diwedd llwyddais i roi'r gefynnau llaw arno ac ar ôl ei rybuddio dan Reolau'r Barnwyr fe'i harestiais.

'Ga' i di am hyn, mêt!' poerodd yntau.

Ar ôl cyrraedd y stesion cefais air gyda'r Rhingyll Parry a rhoddwyd Selwyn Evans yn y gell. Wedi rhoi brîff dychwelais gyda Parry i chwilio'r fflat ac yng ngwaelod y bin bach yn y gegin, wedi eu cuddio dan nifer o ganiau cwrw gwag, deuthum o hyd i botel â'r geiriau 'Paint Remover' wedi dechrau pylu arni, yn ogystal â phâr o fenig rwber.

'Go dda, Morgan,' meddai'r Rhingyll.

Yn nrôr y gegin, daethom ar draws set o ddartiau mewn bocs, ac ar ôl edrych yn fanwl arnynt gwelsom smotiau o baent llwyd ar y picelli dur. Roedd gennym felly dystiolaeth gref yn erbyn Selwyn Evans.

'Wel Morgan, mae'n rhaid i mi dy ganmol di'n fawr am

hyn. Mi ro' i gymorth i ti hefo'r holi pnawn 'ma, a chofia neud yn siŵr fod y nodiadau am heddiw yn dy lyfr.'

'Iawn, Sarj.'

Cyrhaeddom y stesion a dechrau ar yr holi'n syth.

'Mr Evans, rydych chi yma am ymosod ar PC Morgan yn ogystal â bod dan amheuaeth o wneud difrod i'r ceir yn Stryd Madog. Be' sy' gennych chi i'w ddeud am hyn?'

'Wnes i ddim byd, iawn?'

'Wel, mae 'na rywun wedi crafu ochrau rhai o'r ceir ar eich stryd hefo rhywbeth miniog ac mae 'na ddau gar wedi cael difrod ar ôl i rywun daflu *paint remover* arnyn nhw,' meddai'r Rhingyll.

''Sgin i ddim byd i'w ddeud am hynny . . . gewch chi roi fi'n ôl yn y gell,' atebodd Evans.

Yna dangosais botel wag y 'Paint Remover' a'r bocs yn cynnwys y dartiau gan ddweud, 'Cafodd y rhain eu canfod yn eich fflat bore heddiw – allwch chi ddeud rhywbeth am hyn?'

Parhau i wadu a wnaeth Evans am ychydig ond pan welodd fymryn o baent ar un o'r dartiau newidiodd ei gân.

'Duwadd . . . Ia, fi ydi'r dyn sy'n gyfrifol am y damej i'r ceir . . . Wedi cael llond bol o ddiod neithiwr ges i'r syniad gwirion 'na. 'Lly es i'n ôl i'r fflat i nôl y botel – oedd gen i'r darts yn 'y mhocad beth bynnag – a difetha'r ceir.'

Gwnaeth ddatganiad ac ar ôl ei gyhuddo o'r drosedd fe'i rhyddhawyd ar fechnïaeth i ymddangos o flaen Llys Ynadon Caermanog. Ar ôl cwblhau'r nodiadau yn fy llyfr poced euthum i swyddfa'r Rhingyll Parry.

'Job dda heddiw Morgan,' meddai yntau a minnau'n teimlo fy hun yn mynd yn boeth i gyd. 'Dwi'n falch bod gen i blismon da dan fy ngofal. Dos adra rŵan.'

Ar y ffordd allan o'r stesion gwelais fy hen ffrind, y ditectif Cyril Williams, oedd ar ei ffordd i'r Clwb Criced am beint ac fe'm gwahoddwyd i ymuno ag o. Cawsom noson dda yn dwyn hen atgofion yn ôl a Cyril yn fy nghanmol am arestio Selwyn Evans, a oedd yn adnabyddus fel dyn anodd i ddelio ag o. Ar ôl noson ddifyr yng nghwmni'r ditectif, ac ar fy ffordd yn ôl i'r llety, meddyliais am fy rhieni gartref gan obeithio y cawn y cyfle i alw yn Allt Wen yn o fuan.

•

Ar y trydydd diwrnod wrth fy ngwaith dechreuais ar y shifft 2 o'r gloch dan ofal y Rhingyll Parry. Ar ôl cyfarfod yn swyddfa'r plismyn, dywedodd y Rhingyll wrthyf i batrolio'r 'C Beat', ardal a oedd yn cynnwys llawer o westai ac fe'm siarsiodd i fod y tu allan i'r caban ffôn ar ben pedwar o'r gloch, rhag ofn y byddai angen siarad â mi.

'Iawn Sarj,' ac i ffwrdd â fi.

Tua hanner awr wedi tri dechreuodd y strydoedd lenwi hefo plant a rhieni'n gadael yr ysgol a phobl o'r tafarnau. Yng nghanol y môr o bobl sylwais ar un dyn yn ansicr ei gamau'n dod i'm cyfeiriad. Pan yr oedd o fewn dwy lathen imi dechreuodd weiddi, 'Chdi roddodd Sel yn jêl ddoe de? Mi ga i di am hynny 'li!' a thynnodd gyllell o boced ei gôt. Chwifiodd honno'n agos i'm hwyneb ond llwyddais i afael yn fy mhastwn a'i daro yn ei fraich. Disgynnodd y gyllell o'i afael a disgynnodd yntau ar ei liniau. O fewn dim roeddwn wedi rhoi'r gefynnau amdano ond erbyn hyn roedd rhai o'i gyfeillion wedi fy amgylchynu.

'Gad lonydd iddo fo. Wedi meddwi mae o!'

Roeddwn mewn sefyllfa go ddrwg a daeth rhyw ofn drosof ond drwy lwc cyrhaeddodd y Rhingyll Parry a dau blismon arall, wedi gweld yr helynt o'r becws gyferbyn. Tawelodd pethau'n weddol sydyn a chafodd y dyn, Johnie Evans, ei arestio. Aethpwyd ag o i'r stesion a'i roi yn y gell i sobri cyn ei gyhuddo'n swyddogol o gario cyllell mewn lle cyhoeddus â'r bwriad o wneud niwed. Fe'i rhyddhawyd yntau ar fechnïaeth i ymddangos o flaen Llys yr Ynadon gyda'i gyfaill.

Pennod 4

Tua diwedd mis Mai 1956 cefais dipyn o seibiant adref hefo'r teulu ac roeddwn i mor hapus o fod yn eu cwmni eto. Bron nad oeddent yn medru credu'r troseddau yr oeddwn wedi dod ar eu traws. Roedd Ifan yn dal i weithio'n galed ar y fferm ac yn ôl fy nhad yr oedd yn gweld eisiau fy nghwmni ar brydiau, yn enwedig yn ystod ei amser hamdden, pan fyddem yn arfer mynd i bysgota.

'Wyddost ti be Huw, mae gwaith plismon yn fwy nag oeddwn i wedi sylweddoli. Ti'n cael hwyl dda arni mae'n amlwg. Dwi'm yn meddwl y baswn i'n ddigon abl,' meddai Ifan wrth i mi ddal y polyn ac yntau ei guro gyda'r ordd.

'Wel, faswn i'm isio gneud dim byd arall. Ond mi wyt ti'n hapus ar y ffarm yn dwyt,' ychwanegais innau ond ni atebodd.

Daeth fy amser gartref i ben yn syndod o sydyn felly yn ôl i Gaermanog ar y bws oedd hi.

Ddechrau mis Mehefin y flwyddyn honno roeddwn i, am y tro cyntaf, i ddechrau shifft nos am 10 o'r gloch tan 6 y bore dan ofal y Rhingyll Williams. Yn swyddfa'r plismyn y nos Lun honno soniodd y Rhingyll Williams fod rhywun wedi torri i mewn i siop y Co-op yn y stryd fawr y noson gynt a bod sigarets, poteli wisgi ac arian wedi eu cymryd. Roedd y lladron wedi bod yn eithaf gofalus wrth eu gwaith hefyd: ar ôl dringo'r beipen ddŵr y tu cefn i'r siop, roeddynt wedi tynnu nifer o lechi gan wneud digon o dwll i allu disgyn i mewn i'r adeilad gan lwyddo i osgoi deffro larwm y siop. Heb os, roeddent yn broffesiynol wrth eu gwaith. Roedd y Rhingyll Williams felly'n awyddus iawn i ni gadw golwg ar y siopau hynny wrth y Co-op yn arbennig yn ystod ein stem.

Aeth y noson gyntaf heibio'n ddigon distaw. Ond tuag 11 o'r gloch ar yr ail noson tra oeddwn i'n patrolio o gwmpas parc y dref, sylwais ar lygedyn bach o olau coch yn un o'r cytiau lloches. Wrth i mi nesáu, gwelais fod rhywun yn cuddio yn y cwt ac, ar ôl eiliad neu ddwy dechreuodd y person siarad â mi, ond ni ddaeth i'r golwg.

'Ydach chi isio pluan yn eich cap offisyr?'

'Sori?'

'Wel, dwi'n dallt eich bod chi'n blismon reit dda ac ma' gen i wybodaeth y baswn i'n fodlon rhannu. Am bris rhesymol te.'

Bu imi oedi am sbel cyn ei ateb; roedd y sefyllfa mor anghredadwy. Yna daeth yr abwyd:

'Mi wn i pwy na'th dorri mewn i'r Co-op 'na 'chi.'

Ac mi lwyddodd i gael bachiad; wedi'r cyfan, roeddwn i'n reit awyddus i ddatrys y dirgelwch, felly dyma ofyn, 'Faint fysach chi isio gen i?'

'O dwn i'm . . . *Ma'r* wybodaeth 'ma'n reit dda.'

'Fasa £20 yn ddigon?'

'I'r dim' oedd ei ateb sydyn. Roeddwn i'n amau wedyn y byddai wedi bodloni ar hanner hynny.

'Ma'r stwff o'r Co-op mewn garej ar Stryd y Wennol. Garej boi o'r enw Dic Jones . . . yli, ella y medrwn ni weithio'n iawn hefo'n gilydd. Dwi'n gw'bod am bron bob dim sy'n mynd ymlaen yn y dre'ma 'chi. Mi fydda i yma bob nos Ferchar tua

11 fel rheol yn cael smôc. Gobeithio y medra i'ch trystio chi.'

'Y peth ydi fedra i'ch trystio chi?' atebais innau â mymryn o ddireidi.

Ar ôl iddo gael fy ugain punt olaf ciliodd i'r cysgodion a throis innau am y stesion. Cefais air gyda'r Rhingyll Williams am y wybodaeth oedd newydd ddod i law a'r canlyniad oedd, 'Nos fory, mi fydda i wedi cael warant i chwilio'r garej. Gawn ni dipyn o hwyl efo hwnna. Dwi'n nabod yr hen Dic Jones yn iawn.'

Ar ôl cael dipyn o fwyd a bwrw ymlaen am ail ran y noson, ni allwn beidio â hel meddyliau am y wybodaeth a gefais am y Co-op. A oeddwn i wedi gwneud ffŵl ohonof fy hun yn talu rhywun dieithr am rywbeth cwbl ddi-sail? Byddwn yn destun sbort ymhob stesion am filltiroedd. Ond chwarae teg i'r Rhingyll Williams, fe gododd fy nghalon pan ddywedodd,

'Yli Morgan, 'sdim isio mynd o flaen gofid. Mae'n rhaid cymryd siawns weithiau yn y gwaith yma – rhyw naid i'r gwyll. Felly gawn ni weld be' ddaw.'

Y noson ganlynol, gyda'r Rhingyll Williams a PC Gareth Jones yn fan yr heddlu cychwynnom am dŷ Dic Jones. Ar ôl cyrraedd Stad y Wennol, gwelsom fod Dic wedi gadael ei *Ford Prefect* y tu allan i'w dŷ.

'Hei lwc! Fel rheol ma'r diawl yn cadw ei gar yn y garej,' meddai'r Rhingyll.

Wedi parcio tu ôl i'r *Ford Prefect*, aeth Gareth i gefn y tŷ yn ddistaw bach rhag ofn i Dic fentro dianc, tra aeth y Rhingyll a minnau am y drws. Ar ôl curo agorwyd y drws mewn dim gan Margaret Jones, pwtan biwis a oedd wedi hogi min ei thafod i'r eithaf. Pan welodd y Rhingyll, a oedd yn gyfarwydd iddi, dechreuodd floeddio.

'Be ddiawl 'dach chi isio adag yma'r nos? Hei, Dic! Ma'r glas yma.'

Daeth Dic ar ei union i lenwi'r drws, ac yntau'n gwisgo'i byjamas. Aeth ei wyneb yn llwyd pan welodd ni a fan yr heddlu y tu allan.

''Dach chi'n gwbod faint o'r gloch ydi hi?'

'Dic Jones, mae gen i warant i chwilio'r garej,' dechreuodd y Rhingyll. 'Mae gen i reswm dros gredu fod gennych chi nwyddau sydd wedi cael eu dwyn yno.'

'Wel, tydi'r stwff yn y garej ddim yn perthyn i mi. 'Di gneud ffafr efo rhywun ydw i,' meddai'n sydyn wrth weld y warant yn llaw'r rhingyll.

Yn y man daeth Dic allan hefo ni i'r garej a gwelsom yno bentyrrau o boteli wisgi, *gin* a channoedd o bacedi sigaréts yn llenwi'r garej bron i'r ymylon. Trodd y Rhingyll at Dic ar ôl ei rybuddio dan Reolau'r Barnwyr, 'Richard Jones, rydw i'n eich arestio chi ar amheuaeth o ddwyn y nwyddau yma o'r Co-op yng nghanol y dre'. Rhowch y cyffion arno Morgan.'

Gwaeddodd Dic ar ei wraig, 'Dos *in touch* hefo'r twrnai peth cynta'n bora!'

Ar hynny rhoddwyd Dic yng ngofal Gareth Jones, tra llwythodd y Rhingyll a minnau'r nwyddau o'r garej i gefn y fan. Ar ôl cyrraedd y stesion, rhoddwyd Dic yn y gell a lluniodd y Rhingyll adroddiad am Dic a'r dwyn er mwyn i'r ditectifs allu delio â'r mater yn y bore.

Drannoeth, codais tua 2 o'r gloch ac i ffwrdd â mi'n syth i'r stesion am fy mod yn awyddus i gael gwybod beth oedd wedi digwydd i Dic Jones. Es i swyddfa'r ditectifs ar fy union ac yno cefais air hefo'r ditectif oedd yn delio hefo'r achos.

'Yn anffodus Huw, nath o ddim cyfadda' torri mewn i'r Co-op, ond mi gafodd ei gyhuddo o dderbyn y nwydda gan wybod eu bod nhw wedi eu dwyn. Gwrthod deud pwy oedd yn gyfrifol am adael y nwyddau yn y garej nath y diawl ond mi roedd o'n palu clwydda. Ches i ddim help gan Gwyn Owen, ei dwrnai, chwaith.'

Eglurodd y Ditectif Arolygydd Owen fod derbyn nwyddau wedi eu dwyn yn fwy difrifol na thorri i mewn i'r siop eich hun, ac ychwanegodd fod Dic Jones wedi ei ryddhau ar fechnïaeth i ymddangos o flaen Llys Ynadon Caermanog. Bu'n rhaid i mi a'r Rhingyll Williams wneud datganiad i gwblhau'r ffeil ar Dic Jones.

Cyn troi'n ôl i'r llety, gelwais yn y Co-op a chefais air byr gyda Mr Wilfred Ellis, rheolwr y siop. Ar ôl i mi fy nghyflwyno fy hun iddo, dywedodd, 'Mae un o'r ditectifs wedi bod yma'n barod ac wedi sôn amdanoch chi, Mr Morgan. Diolch o galon i chi am wneud gwaith mor dda'n cael y nwyddau bron i gyd yn eu hôl. Fydd yna lythyr yn cael ei anfon i'r Prif Gwnstabl yn eich canmol chi gyd am hyn.'

Ar ôl i'r achos ddod i ben cefais wybod gan Cyril fod Dic unwaith yn gyfeillgar iawn hefo un o'r ditectifs. Byddai'n rhoi gwybodaeth am yr hwn a'r llall iddo ac yn derbyn ceiniog neu ddwy am ei drafferth. Yn anffodus cafodd y ditectif hwnnw ei ddiswyddo ar ôl iddo dderbyn arian gan Dic i allu mynd â'i deulu ar wyliau i Sbaen. Er mor ifanc oeddwn i ar y pryd, yr oeddwn yn amau fod Dic yn ddyn a fuasai'n dial ar unrhyw blismon a wnai gam ag o, a dyna a ddigwyddodd i'r ditectif hwnnw, yn ôl y sôn. Fel y dywedodd Cyril, 'Mae o'n casáu unrhyw un sydd mewn awdurdod â chas perffaith.'

Un a dreuliai ei ddyddiau'n pwyso ar fariau tafarnau'r

dref yn hel syniadau am ei brosiect nesaf oedd Dic Jones. 'Byw ar gefn y wlad tra medra' i' oedd ei efengyl ac fe gadwodd yn driw iddi ar hyd ei oes, hyd yn oed rhwng ei ymweliadau achlysurol â gwesty'r goron. Drwy lwc dyna'r unig dro i mi orfod delio gyda'r gŵr hwn.

Bu gweddill yr wythnos yn eithaf tawel ond roeddwn eisoes yn edrych ymlaen at gael gweithio yn ystod oriau'r dydd eto.

Pennod 5

Ar ôl treulio wythnosau'n crwydro strydoedd Caermanog roeddwn wedi dod i adnabod perchnogion y siopau'n weddol dda, a hefyd yn teimlo fy mod wedi gwneud argraff ar fy nghydweithwyr.

Unwaith y mis byddwn yn ymweld â Banc y Midland i godi fy nghyflog, ac yno y deuthum yn ffrindiau ag un clerc cownter; geneth o'r enw Glenys Williams. Roedd hi'n byw gyda'i theulu mewn tyddyn ar gyrion pentref Rhyd y Foel, ryw chwe milltir o Gaermanog a hi oedd unig ferch y teulu.

Bob cyfle a gawn byddwn yn galw yn y banc i weld Glenys a mentrais un prynhawn ofyn iddi a fuasai'n mynd hefo fi i'r sinema i weld *Gone With the Wind*. Er mawr syndod i mi, cytunodd. Dyna'r noson gyntaf a dreuliais yn ei chwmni ac ar ôl gwylio'r ffilm aethom am bryd o fwyd yn un o fwytai Tseiniaidd y dref. Nid fy mod i'n hoff iawn o fwydydd tramor felly ond dyna oedd diléit Glenys ac roeddwn i eisiau plesio. Roeddwn wedi cymryd at y ferch ifanc o Ryd y Foel, a phob tro y byddwn yn cael diwrnod i ffwrdd o'm gwaith wedi'r noson honno, byddwn yn ffeirio rhwng ymweld â'i theulu hi a'm teulu innau gartref.

Teulu dedwydd iawn oedd tad a mam Glenys a chawn groeso mawr ganddynt ar bob ymweliad â'r Wern Lwyd. Gŵr crefyddol iawn oedd Tom Williams, tad Glenys; wedi bod yn flaenor yng Nghapel Bethesda ers blynyddoedd, ond oherwydd ei oedran wedi gorfod arafu dipyn ar ei waith o drio cadw trefn ar ei fferm. Erbyn hyn dim ond cadw dipyn o ieir a moch a wnâi, ond ei bleser mwyaf bellach oedd gwneud llwyau caru yn ei weithdy.

Ar y dechrau sylwais nad oedd Tom Williams yn awyddus i siarad rhyw lawer â mi, ond roedd mam Glenys, Enid, ar y llaw arall, yn llawn hwyl bob amser, yn enwedig pan soniwn wrthi am y cymeriadau roeddwn yn delio â nhw o ddydd i ddydd. Chwarddodd pan soniais am un cymeriad a oedd bob blwyddyn cyn y Nadolig yn dwyn twrcïod a chywion ieir o rewgelloedd pobol gefnog yr ardal, ac wedyn yn gadael y twrci neu'r cyw iâr ar riniog drws pobl oedd yn weddol dlawd, â'r nodyn bach ynglwm: *'Robin Hood has called. Have a good Xmas!'*

Soniais hefyd am gymeriad arall a oedd bob amser yn gwneud paned o de iddo'i hun cyn gadael y tŷ roedd o wedi torri i mewn iddo. Ie, dynes hoffus iawn oedd mam Glenys a gwên ar ei hwyneb bob amser.

Wrth i'r wythnosau droi'n fisoedd roeddwn yn brysur yn delio â phob math o droseddau, damweiniau ceir gan fwyaf. Ond roedd fy holl fryd ar geisio dal cymaint o ladron ag y gallwn, er nad oedd hynny bob tro'n hawdd. Roedd digon o ladron o gwmpas Caermanog, ac yn araf deg deuthum i adnabod, a delio hefo'r rhan fwyaf ohonynt, er nad oedd eu troseddau'n ddifrifol iawn.

•

Tuag 8 o'r gloch un bore ar ddechrau mis Medi, 1956, roeddwn yn patrolio o gwmpas y Stad Ddiwydiannol lle roedd llawer o loriau wedi eu parcio dros nos yn barod i gael eu gwagio i'r gwahanol siopau. Wrth grwydro'r Stad sylwais ar ddyn ifanc yn edrych i mewn i un o'r loriau a phan welodd fi, brysiodd ataf.

'I'm glad to see you. I've been robbed during the night and a load of butter has gone.'

Cefais olwg ar gefn y lori ac roedd yn amlwg fod rhywun wedi torri'r clo gyda grym. Roedd y toriad yn awgrymu mai morthwyl crafanc a ddefnyddiwyd ac roedd y tu fewn i'r lori'n hollol wag.

Mae'n rhaid fod y lleidr wedi defnyddio cerbyd arall i gludo'r bocsys menyn oddi yno.

Dywedais wrth yrrwr y lori i aros yn y fan a'r lle a pheidio â symud y lori nes i arbenigwyr fforensig ei harchwilio am olion bysedd neu unrhyw dystiolaeth arall. Yn ôl y gyrrwr, roedd gwerth £500 o fenyn wedi'i ddwyn. Euthum ati i edrych ar y lonydd cyfagos, ond nid oedd olion teiars ffres ar y tarmac. Rwy'n cofio meddwl ar y pryd y byddai hwn yn ymchwiliad rhyfedd ar y naw, wedi'r cyfan, pwy fyddai wedi bod eisiau dwyn cymaint o fenyn?

Ar fy ffordd yn ôl i'r llety, wedi darfod y shifft, sylweddolais ei bod yn ddydd Mercher, a chofiais am y cyfaill yn y cysgodion yn y parc a roddodd y wybodaeth i mi am y Co-op. Doedd dim i'w golli, felly tuag 11 o'r gloch y noson honno es i'r parc, gan obeithio y byddai'r dyn yn fy adnabod yn fy nillad fy hun.

Roedd rhywun yn sefyll mewn cwt a golau'r smôc i'w weld yn blaen pan gyrhaeddais. Cyn i mi ddweud dim daeth y llais main i'm cyfarch.

'Helo Huw bach. Yli, dwi'n dy nabod di heb y siwt 'na hefyd!'

Roeddwn i wedi fy synnu braidd pan alwodd fi wrth fy enw cyntaf ond buan y cefais hyd i'm llais.

''Sgin i 'mond diolch i chi am y wybodaeth am y Co-op. Aeth petha'n o lew. Rŵan dwi isio gofyn am ffafr arall gynnoch chi, os fedrwch chi fy helpu.'

'Be, am y menyn gafodd ei ddwyn o'r lori?'

'Wel, ia a deud y gwir. Mae'n amlwg dy fod ti'n gw'bod rhywbeth.'

'Yli Huw, mae'n rhaid i ti fod yn ofalus. Dydi'r person sy'n gyfrifol am ddwyn y menyn ddim yn iawn yn ei ben. A fasa fo'n ddim ganddo ladd rhywun fysa'n ei herio, neu'n sbragio arno . . .'

Oedodd am eiliad cyn gollwng ochenaid a chyfaddef, 'Mi glywis i o'n siarad y pnawn 'ma yng Ngwesty'r Tarw. Roedd o'n jocian fod gynno fo ddigon o fenyn i neud brechdanau yn y gwesty am fisoedd.'

'Faint gymri di'r tro 'ma?'

'Ddudan ni chwe deg ac ella gei di fwy o wybodaeth gen i eto.'

Y cyfan oedd gennyf oedd £50 ond bodlonodd ar hynny. Cyn diflannu i'r tywyllwch rhoddodd enw a chyfeiriad y dyn i mi: Nigel Evans, 14 Hafod Wen.

Ar fy ffordd yn ôl i'r llety ni allwn beidio â meddwl sut gymeriad oedd y dyn yn y parc. Ella ei fod yn byw ar ei nerfau ac yn cael rhyw foddhad o grwydro'r cysgodion, ond yr oedd yn fodlon iawn i roi'r wybodaeth i mi. Roedd yn amlwg yn medru byw ymysg y troseddwyr a chadw ei glustiau'n agored.

Codais yn fore'r diwrnod canlynol a mynd am y stesion yn syth. Cefais air gyda'r Rhingyll Williams am y manylion a gefais ynglŷn â Nigel Evans a'r menyn. Roedd y gŵr hwnnw yn adnabyddus iddo fel caridŷm di-egwyddor a chanddo droseddau lu am dwyllo pobl mewn oed ar ôl codi pris uchel am waith yr oedd o wedi'i wneud ar eu cartrefi. Roedd y Rhingyll Williams yn hen law ar drin dynion o'r fath ac yn gwybod yn iawn mai ofer fyddai i rywun dibrofiad fel fi wynebu Evans ar fy mhen fy hun.

'Fasa'r diawl ddim yn meddwl ddwywaith cyn plannu cyllell ym mherfedd unrhyw blisman, yn ogystal â phwy bynnag sydd wedi rhoi'r wybodaeth 'ma i ti.'

Yn enwedig ar ôl clywed yr hyn oedd gan y Rhingyll i'w ddweud dechreuais boeni braidd am fy hysbyswr. Ond wedyn ella bod y cyfaill yn gwybod ei fod yn ddigon diogel ac na fyddai Evans yn ei amau. Beth bynnag, roedd yn amlwg fod ganddo ddigon o ffydd ynof i beidio â sôn amdano o gwbl.

Tuag 11 o'r gloch y bore hwnnw, ar ôl cael gwarant i chwilio'r cartref, aeth y Rhingyll Williams, fi, a phedwar plismon arall i weld Nigel Evans, a thrwy lwc roedd ei lori y tu allan i'w dŷ. Ar ôl i ddau blismon fynd i gefn ei dŷ, curodd y Rhingyll ar y drws ffrynt, a dyma Evans yn agor y drws a dechrau bytheirio;

'Mary! The f...ing coppers are here; mob handed as well. What d'you want?'

'Nigel Evans, we believe that you have stolen butter in your garage, and we've got a search warrant here,' meddai'r Rhingyll gan ddal ei dir.

Dyn mawr o gorffolaeth oedd Nigel Evans â breichiau fel llorpiau trol, bron yn llenwi'r fynedfa i'w dŷ. Sais oedd wedi ymgartrefu yng Nghaermanog ar ôl yr Ail Ryfel Byd oedd o ac nid oedd neb yn hollol siŵr o ble yn Lloegr y daethai. Ond yr oedd yn amlwg yn adnabod y Rhingyll yn iawn, ac ar ôl gwrthod am tua chwarter awr fe agorodd ddrws y garej i ni.

Sôn am olygfa! Roedd o'n llawn bocsys menyn *Kerry Gold* a phrin oeddem yn medru agor y drws.

'Some bugger's gonna pay for this!' rhegodd Evans.

Sylwais ei fod yn cyfeirio'i fygythiad tuag ataf fi ac yn craffu bob modfedd ohonof. Rwy'n cofio meddwl, efallai ei fod yn gwneud hynny am fy mod yn ddieithr iddo, ond gwyddwn nad oedd diben twyllo fy hun.

I dorri'r stori yn ei blas, arestiwyd Evans ac er iddo wrthod dweud dim am ble cafodd y menyn, penderfynwyd ei gyhuddo o dderbyn nwyddau a oedd wedi eu dwyn, ac fe'i rhyddhawyd ar fechnïaeth i ymddangos o flaen Llys yr Ynadon fis Hydref 1956. Roedd yn bur debyg y byddai'r mater yn cael ei drosglwyddo i Lys y Goron.

Tra oeddwn yn patrolio o gwmpas Hafod Wen daeth ambell un ataf a diolch am roi Evans yn y carchar. Roedd fy ngwaith felly'n dwyn ffrwyth yng Nghaermanog a chlywais ryw si y byddwn yn mynd i weithio am gyfnod o dri mis fel prentis yn swyddfa'r C.I.D. Daeth y si'n wir un bore pan gefais fy ngalw gan y Ditectif Arolygydd Owen i'w swyddfa. Dyn canol oed oedd y Ditectif Arolygydd ac yn brofiadol iawn yn ei waith. Roeddwn wedi sylwi arno'n barod pan fyddai'n cerdded o gwmpas y stesion, ac yn gwir feddwl efallai y buaswn innau, ryw ddydd, yn gallu bod yn dditectif arolygydd fel yntau. Dyn urddasol oedd o, a phawb â gair da amdano fel ditectif craff iawn. Byddai bob amser yn gwisgo'n daclus â hances wen yn llewys ei siwt.

‘Mr Morgan, mi hoffwn i gynnig i chi ddod atom ni yn y C.I.D. Yn ôl yr adroddiadau rydw i wedi’u darllen amdanoch mae gennych chi siawns go dda o fod yn dditectif ryw ddydd. Oes gennych chi ddiddordeb mewn gwaith ditectif?’

‘Er pan oeddwn i’n yr ysgol ro’n i am fod yn dditectif, ac ar ôl ymuno hefo’r heddlu dyna ydi ’mwriad o hyd, Syr.’

Gyda hynny wedi’i benderfynu eglurodd y byddwn yn gweithio hefo chwe ditectif arall a dau dditectif rhingyll yn yr Uned C.I.D ac y byddwn yn dechrau yno ganol mis Tachwedd.

Pennod 6

Rhyw ddiwrnod glawog ac oer oedd y diwrnod cyntaf hwnnw pan oeddwn ar fy ffordd i Swyddfa'r C.I.D. A dweud y gwir roeddwn yn crynu braidd am fy mod erbyn hynny'n gwisgo fy nillad fy hun ac nid siwt gynnes plismon. Roedd y gaeaf yn sicr wedi cyrraedd gyda'r dail wedi disgyn, a'r rheiny fel petaen nhw'n ffurfio llwybr efydd imi i'w ddilyn at fy ngwaith newydd. Diwrnod y byddwn yn ei gofio am yn hir oedd hwn.

Roedd swyddfa'r ditectifs ar ail lawr y stesion a'r un cyntaf a ddaeth i'm croesawu yno oedd fy hen gyfaill, y Ditectif Cyril Williams.

'Wel, Huw bach,' meddai a'i wên hawddgar yn tawelu fy nerfau'n syth, 'dwi'n falch dros ben dy fod di yma hefo ni am sbel. Cofia di mae 'na waith caled o dy flaen ond dwi'n siŵr y byddi di'n iawn. Gei di bob help gen i, yli.'

Wedi cael gair â Cyril fe'm cyflwynwyd i William Davies, y ditectif rhingyll, a ddangosodd i mi lle roedd fy nesg yn y swyddfa, a lle y byddai fy adroddiadau'n cael eu cysodi gan deipydd proffesiynol. Roedd gennyf fyd newydd i orfod ymgyfarwyddo'n sydyn ag o.

•

Y noson honno roedd dau ddyn yn y ddalfa dan amheuaeth o ddwyn llwyth o blwm, ac yn ôl adroddiad gan PC Ifor Jones, roeddent wedi cael eu dal ar gyrion y dref yn gyrru hen *Ford Pick-up* tuag 1 o'r gloch yn y bore. Nid oedd yr heddwas yn credu fod cynnwys y fan wedi ei gael yn gyfreithlon, er i'r ddau ddyn dyngu ar eu llw fod y plwm wedi ei roi iddynt gan ryw ffrindiau. Roedd y dasg o ddelio hefo'r ddau wedi ei rhoi i mi yn fwriadol i weld fy ngallu fel ditectif. Oherwydd hynny roeddwn yn benderfynol o gael canlyniad da.

Y cynllun oedd i mi holi'r ddau ddyn ar wahân. Tad a mab oedd Sam a Rhys Evans felly penderfynais holi'r mab yn gyntaf. Dyn di-waith, 26 oed oedd Rhys, ac wrth i mi ei arwain allan o'i gell gwaeddodd ei dad, 'Rhys, paid â deud dim wrtho tan i mi ga'l twrnai.'

'Iawn, Dad,' oedd ei ateb ufudd.

Fe'i harweiniais i'r ystafell holi a chynnig cadair ond roedd yn well ganddo sefyll. Roeddwn wedi penderfynu y byddwn yn cadw'n llym at yr arferion holi a fyddai'n sicr yn ei roi dan bwysau, ond wedi cymryd fy mhriod le fedrwn i ddim. Ni allwn lai na theimlo dros yr hogyn ifanc, carpiog ei wisg, ei wallt bron â chyrraedd ei ysgwyddau a'i ddwylo main yn fudr, o'm blaen. Roedd yn cerdded o gwmpas yr ystafell fel cath wyllt wedi'i dal ond ar ôl rhyw bum munud eisteddodd gyferbyn â mi a gofyn am sigarét. Er nad oeddwn yn smocio roeddwn i bob amser yn cario paced o *Park Drive* a bocs o fatsis. Yr adeg honno, roedd y rhan fwyaf o'r troseddwyr yn hoff iawn o'r *Park Drive*, ac fel rheol roedd sigarét a phaned o de'n mynd yn bell. Weithiau byddai hynny'n gwneud i'r troseddwr ymlacio, yn enwedig os oedd o wedi bod yn y gell dros nos. Felly cynigais y paced a chymerodd yntau ddwy ohono. Ar ôl gwneud yn siŵr ei fod yn mwynhau ei sigarét ac ar ôl ei rybuddio dan Reolau'r Barnwyr, dechreuais ei holi.

'Y cwbl dwi'n 'i wbod ydi bod 'nhad wedi cael y plwm gan ryw foi sy'n gweithio ar y *building site.*'

Bûm yn ei holi'n ysbeidiol am tua awr wedi hynny ond yr un atebion yr oeddwn yn eu cael ganddo felly penderfynais roi cynnig ar holi ei dad.

Dyn canol oed oedd Sam Evans, yn byw ar gyrion y dref hefo'i wraig a chwech o blant. Nid oedd yn gweithio i neb, ond yn ennill ceiniog neu ddwy drwy wneud gwaith llafur yma ac acw. Ar ôl ei holi am tuag awr roedd yn amlwg nad oedd o chwaith am gyfaddef i ddwyn y plwm. Y cwbl a gawn ganddo fo oedd, '*No comment.*'

Ar ôl rhoi Sam Evans yn ôl yn y gell penderfynais gael golwg ar y plwm yn y fan. Roeddwn yn awyddus i gael unrhyw brawf yn eu herbyn, yn enwedig gan fod yr amser yn mynd yn brin. Dyma ddechrau cael golwg ar y darnau hir o fetel felly, ac ar un pen i'r darnau gwelais fod y llythrennau '1820 AD' wedi eu naddu'n ddwfn. Yna cofiais fod yna blwm wedi'i ddwyn o do Eglwys Santes Fair tua chwe mis ynghynt. Felly, i lawr â fi wedyn yng nghar y C.I.D i gyfeiriad tŷ'r Canon Pritchard, a thrwy lwc cefais afael arno, yn ei ardd.

Y cyfan a wnes oedd dangos un rhoden o blwm a'i sylw oedd, 'Mae hwnna wedi dod o do'r festri. Ylwch, mae 'na ddarnau bach o'r plwm i weld ar y llawr ger y festri. Dyma'r ail dro i hyn ddigwydd.'

Rhoddais wybod iddo fod tad a mab wedi cael eu harestio yn ystod y nos hefo llwyth o blwm yng nghefn eu fan a diolchodd y Canon Pritchard yn ddiffuant am y newydd da. Ar ôl cymryd pwt o ddatganiad a ffarwelio gydag o, roeddwn yn benderfynol o daclo'r tad a'i fab a chanfod y gwir.

Tua 2 o'r gloch yn y prynhawn holais Sam Evans. Cyn i mi

fynd i'r ystafell rhybuddiodd Cyril fod Mr Gwyn Owen, y twrnai, yn adnabyddus iddo, ac yn ddyn llawn triciau. Roedd o hefyd yn enwog am helpu troseddwyr y dref. Er fy mod yn teimlo'n ddigon hapus i ddelio hefo Sam a'i fab ar fy mhen fy hun, gofynnais i Cyril fod yn bresennol yn yr ystafell, rhag ofn.

Ar ôl cael gair gyda Mr Gwyn Owen a rhoi gwybod iddo'r rhesymau pam fod Sam a'i fab dan glo, daeth i mewn hefo fi i'r stafell holi ac eistedd ger ei gwsmer. Es yn syth i lygad y ffynnon.

'Mr Evans, mae darn o'r plwm oedd yn eich fan wedi cael ei adnabod gan y Canon Pritchard fel un o'r darnau sydd wedi cael eu tynnu o do'r festri yn ei eglwys. Beth s'gynnoch chi i ddeud am hyn?'

Edrychodd Sam i gyfeiriad ei dwrnai ac wrth weld hwnnw'n ysgwyd ei ben trodd yn ôl ataf ac yn bwyllog atebodd, ''Sgin i ddim i'w ddeud.'

'Roedd eich mab yn deud eich bod chi wedi derbyn y plwm gan rywun sy'n gweithio ar ryw safle adeiladu. Os ydi hynny'n wir, wel, beth am enwi'r person yna?'

''Sgin i *ddim byd* i'w ddeud.'

Rhoddodd Cyril gynnig ar holi hefyd ond nid oedd Sam am ddatgelu dim.

Rhoddwyd o'n ôl yn y gell a dywedais wrth ei dwrnai y byddai Sam, a'i fab, yn ôl pob golwg, yn cael eu cyhuddo o ddwy drosedd. Y naill o fod ym meddiant nwyddau wedi eu dwyn a'r llall o ddefnyddio eu fan i gario'r nwyddau hynny.

'Iawn. Dwi'n cymryd felly na fydd y ddau ddim yn cael eu holi ymhellach.'

'Na fyddan,' meddwn innau gan frathu fy nhafod.

Tua 7 o'r gloch y diwrnod hwnnw cyhuddwyd Sam a'i fab

o'r troseddau ac fe'u rhyddhawyd ar fechnïaeth i ymddangos o flaen Llys yr Ynadon yn nechrau mis Rhagfyr. Roedd fan Sam Evans bellach ym meddiant yr heddlu ac yn dystiolaeth anhepgor yn yr achos.

Ar ddiwedd y dydd cefais fy ngalw i weld y Ditectif Arolygydd Owen, ac i ddweud y gwir, roeddwn yn poeni braidd pam y byddai eisiau fy ngweld.

'Wel, Huw,' dechreuodd gan gynnig cadair imi. 'Dyn anodd ydi Sam Evans ond trwy ddyfal ymdrech – a dyna dwi'n lecio mewn ditectif da – mi gefist ti ddigon o dystiolaeth i fynd â fo a'i fab o flaen eu gwell. Tyrd, mi awn ni am beint i'r Clwb Criced i ddathlu dy waith da.'

Ac yn y Clwb Criced y treuliais weddill y nos yng nghwmni'r Arolygydd a'm cyfaill Cyril. Mae'n rhaid fod y ddiod gadarn wedi cael dipyn o effaith arnaf achos cyn diwedd y noson roeddwn i, a llawer un arall yno, yn canu'r hen emynau nerth ein pennau. Sylwais fod yr Arolygydd hefyd yn hoff o'i beint ac yn ganwr heb ei ail. Cefais weld fod ochr arall i fywyd yn y C.I.D wedi'r cyfan.

Pennod 7

Er bod fy nyddiau'n teimlo'n hir yng nghwmni'r ditectifs, a'r gwaith yn ddigon astrus ambell dro, gallwn fachu ar ychydig o oriau i ffwrdd gyda'r nos i fod yng nghwmni Glenys. Wrth i'r misoedd fynd heibio byddwn yn treulio mwy o amser yn ei chwmni ac un diwrnod, tra oeddem yn crwydro'r dref aethom i mewn i siop emwaith a phrynais fodrwy iddi, yn arwydd o ymrwymiad. Yn fuan wedyn aethom i weld ein teuluoedd a chael llongyfarchion mawr ganddynt.

Tra oedd Glenys yn siarad hefo mam yng nghegin Allt Wen es innau tu allan i gael treulio tipyn o amser yng nghwmni Ifan, er ei fod wrthi'n brysur yn codi tail i'r drol.

'Gwaith caled, Ifan. Ma'r tail yna'n siŵr o fod yn drwm i'w godi ar ôl y glaw 'dan ni wedi'i gael yn ddiweddar.'

'Dwi'n chwysu chwartia,' atebodd yntau cyn troi'r sgwrs yn weddol sydyn. 'Sut ma'r gwaith hefo chdi Huw?'

'Reit dda. Dwi hefo'r ditectifs rŵan ac yn mwynhau fy hun yn fawr iawn . . . gwranda Ifan, ydi Dad yn iawn? Mae o i weld wedi colli pwysa.'

'Wel, ma'n cwyno hefo'i gefn ac yn blino'n hawdd pan fydd o'n gweithio yn y caeau. Ond mi wyddost ti y basa'n gas ganddo ista ar ei din yn y tŷ drwy'r dydd.'

Efallai'n wir ond roeddwn wedi hen ddechrau sylwi ar y newid yng nghymeriad fy nhad yn ogystal â'i ddirywiad corfforol. Felly, er mwyn ceisio tawelu fy meddwl, gofynnais i Ifan addo rhoi gwybod i mi o hynny ymlaen am gyflwr fy nhad.

Treuliais weddill y diwrnod yng nghwmni Glenys yn ei llety, yn hel syniadau am y briodas a cheisio dyfalu ein dyfodol. Ond fe fu'n rhaid i mi orfodi fy hun i'w throi hi am adra gan fod gennyf shifft am 9 drannoeth.

•

Tua 10 o'r gloch y bore hwnnw atebais y ffôn i ŵr o'r enw Geraint Ellis a oedd newydd gyrraedd ei gartref ar ôl bod am wythnos yn Sbaen.

'Dwi newydd gyrraedd adra ac mae pob dim ben ucha' isa yma. Mae rhywun wedi fforsio'r drws cefn ac mae gemwaith y wraig wedi mynd o'r drôr. Mae hi'n torri'i chalon yn lân.'

'Mr Ellis, fydda i yna mewn chydig. Peidiwch â chyffwrdd dim oherwydd bydd angen i'r arbenigwyr fforensig gynnal archwiliad.'

Roedd Mr Ellis yn byw mewn tŷ mawr o'r enw 'Cae Tawel' yn Stryd Wen ar gyrion y dref. Mi wyddwn fod y Stryd Wen yn boblogaidd gan ladron oherwydd bod y rhan fwyaf o'r bobl yn y stryd yn gefnog, ac yn berchen ar lawer o'r siopau yn y dref. Fel yr oedd yn digwydd bod, masnachwr a gadwai siop ddillad yn y stryd fawr yng Nghaermanog oedd Mr Ellis.

Erbyn cyrraedd sylwais fod tŷ Geraint Ellis ryw ganllath i ffwrdd o'r lôn, a'r mynediad i'r tŷ i fyny tramwyfa droellog. Roedd y tŷ o olwg y stryd oherwydd y coed pinwydd tal a oedd yn tyfu o'i amgylch, felly roedd gan y lleidr fantais fawr i allu torri mewn. Roedd yn amlwg ei fod wedi dewis ei dŷ'n ofalus.

Ar ôl cyrraedd y Cae Tawel daeth Mr Ellis allan i'm

cyfarfod. Dyn bychan hefo pen moel ac a wisgai siwt a oedd yn rhy fawr iddo ydoedd.

'Diolch am ddŵad yma'n brydlon. Mae Nansi, y wraig, yn ddigalon iawn.'

Roedd llwybr cul yn arwain i'r cefn a gwelais yn syth fod y drws derw wedi'i dorri yn ymyl y glicied a bod yna ôl sawdl ar y pren.

Tu fewn i'r tŷ roedd yr holl gypyrddau wedi cael eu harchwilio ac roedd y droriau ar hanner eu hagor. Roedd yn amlwg fod y lleidr yn chwilio am y gemau oedd yn perthyn i Nansi, yn enwedig gan nad oedd dim arall ar goll o'r tŷ.

Yn ôl Nansi Ellis roedd chwech o fodrwyau diemwnt, tair o fodrwyau aur a breichled aur ar goll o'r bocs yn nrôr y bwrdd gwisgo yn ei llofft. Roedd y cwbl yn werth tua £5,000. Yna gofynnais i Mr Ellis tybed pam nad oedd y peiriant larwm wedi canu yn ystod y lladrad.

'Ro'n i 'di anghofio'n lân setio'r larwm cyn i mi fynd i ffwrdd. Ond fedra i ddim meddwl am neb fasa'n torri mewn i'r tŷ. 'Sgin i'm gelynion, Mr Morgan.'

'Oes yna rywun yn glanhau'r ffenestri, neu'n torri'r gwair i chi?' gofynnais.

'Wel, mae Billy Owen yn golchi'r ffenestri i mi bob pythefnos – mae o wedi bod yn dŵad yma ers blynyddoedd. A dyn o'r enw Hefin Jones sydd ambell dro'n cadw'r ardd yn dwt i mi. Ond mae'n gas gen i gredu y basa'r ddau yna'n gneud drwg i ni.'

Yn ôl Mr Ellis roedd iechyd ei wraig wedi dirywio yn ystod y ddwy flynedd ddiwethaf ac nid oedd y ffaith fod rhywun wedi torri i mewn i'w tŷ wedi ei helpu chwaith. Cefais air bach â Nansi a cheisiais ei chysuro drwy ddweud y buaswn yn gwneud fy ngorau i gael y gemwaith yn ôl iddi.

Cyn gadael Mr Ellis gofynnais i Mr Jeff Hayes, yr arbenigwr fforensig a oedd wedi cyrraedd bron yn syth ar fy ôl, i dynnu llun o ôl yr esgid a oedd ar y drws. Yr unig fath o gliw a lwyddom i'w gael oedd bod y drws wedi'i gicio gan rywun oedd yn gwisgo esgidiau hoelion mawr.

Ar ôl cinio'r diwrnod hwnnw galwais i weld Hefin Jones a oedd yn byw yn 14, Rhodfa Manog. Curais ar y drws a thrwy lwc fe'i agorwyd ganddo. Yn ôl Mr Ellis, roedd Hefin Jones yn byw ar ei ben ei hun ers colli ei wraig rhyw dair blynedd ynghynt. Hwn oedd y tro cyntaf i mi gwrdd â'r gŵr hwnnw ac ar ôl fy nghyflwyno fy hun iddo sylwais i rywbeth newid yn ei ymddygiad.

'Mae rhywun wedi torri i mewn i dŷ Mr Geraint Ellis tra oedd o ar ei wyliau ac mae chydig o bethau wedi eu dwyn. Rydw i'n dallt eich bod chi'n garddio dipyn yno.'

'Duw annwyl' oedd yr unig beth a ddywedodd wrth ysgwyd ei ben. Roedd ei wyneb wedi troi'n llwyd mewn dim ond ni ddywedais air am ennyd.

'Mr Jones, yn ôl Mr Ellis roedd ei lawnt wedi cael ei thorri tra oedd o a'i wraig i ffwrdd. Chi wnaeth hynny?'

Yna fe drodd ataf, 'Ia . . . ia, fi dorrodd y lawnt ond welis i'm byd o'i le. Nes i'm byd o'i le.'

Roedd y creadur yn cael trafferth ateb fy nghwestiynau ac yn llyncu ei boer yn galed. Roeddwn yn siŵr ei fod yn gwybod rhywbeth felly dyma fynd at lygad y ffynnon.

'Ydach chi'n meindio i mi gael golwg o gwmpas eich tŷ?'

Er mawr syndod yr ateb a ddaeth oedd, 'Ddim o gwbl, 'sgin i ddim i'w guddio.'

Ac ar ôl mynd trwy'r tŷ'n ofalus, ofer oedd yr ymchwiliad. Roedd yn rhaid i mi benderfynu beth i'w wneud â Hefin Jones. Os oeddwn yn mynd i'w adael yn ei gartref efallai y byddai'n rhybuddio rhywun oedd wedi derbyn y modrwyau ganddo. Penderfynais, felly, ei arestio ar amheuaeth o fod yn gyfrifol am ddwyn o dŷ Mr Geraint Ellis, ac ar ôl cyrraedd y stesion eglurais wrth y Rhingyll Parry y sefyllfa yr oeddwn ynddi, ac y byddwn yn gwneud mwy o ymholiadau i'r mater y bore wedyn. Roedd y Rhingyll yn ddigon hapus gyda'r hyn oedd gennyf i'w ddweud a rhoddwyd Hefin Jones yn y gell am y noson.

Pennod 8

Y bore canlynol roeddwn yn swyddfa'r ditectifs yn gynharach na'r arfer, ac yno yn fy nisgwyl oedd y Ditectif Arolygydd Owen ond nid oedd y wên arferol ar ei wyneb.

'Morgan, mae'n rhaid i mi gael rheswm da pam 'naethoch chi arestio'r Hefin Jones yna.'

'Ella na wyddoch chi Syr, ond ddoe ro'n i'n gweithio ar fy mhen fy hun pan ges i alwad i archwilio lladrad yn nhŷ Mr Geraint Ellis. Mi ges i ddau enw gan Mr Ellis, sef Hefin Jones, y garddwr a Billy Owen, oedd yn golchi'r ffenestri. Es i weld Hefin Jones am y lladrad a tra o'n i'n ei holi mi aeth o'n anesmwyth i gyd. Ond mi roddodd ganiatâd i mi chwilio'i dŷ. Negyddol oedd yr ymchwiliad mae arna i ofn ond dwi'n siŵr ei fod o'n cuddio rhywbeth a dyna pam nes i ei arestio fo.'

Ysgydwodd yr Arolygydd ei ben yn araf cyn dweud, 'Wel, gan eich bod chi wedi dod ag o yma, mi adawa i chi gario 'mlaen i holi Hefin Jones bore 'ma, gan obeithio fod eich greddf yn iawn . . . ond dim ond am y bore.'

Ar ôl cael gair gyda'r pennaeth roeddwn yn teimlo'n reit gymysglyd felly'n ddiymdroi euthum i holi Hefin Jones eto, gan ddefnyddio ambell hen dric.

'Wyt ti isio sigarét a paned?'

'Dwi bron â marw isio ffag, diolch,' a chyn i mi roi'r sigarét yn ei law dywedodd, 'Ylwch . . . mi oedd gen i rwbath i'w wneud efo'r dwyn o dŷ Mr Ellis ond nid y fi dorrodd i mewn.'

Aeth yn ei flaen i egluro ei fod wedi cwrdd â hen ffrind, Selwyn Evans, yng ngwesty'r Tarw Coch un noson, ac wrth i'r ddau lymeitian, i'w ffrind gyfaddef wrtho'i fod mewn dyled ac yn fis ar ei hôl hi'n talu morgais ei dŷ. Yn y man, gofynnodd a fedrai Hefin ei helpu. Roedd y ddau erbyn hynny wedi cael dipyn o gwrw a heb feddwl am y canlyniadau, soniodd Hefin wrth Selwyn Evans fod tŷ Mr Geraint Ellis yn wag am wythnos ac awgrymodd yn ysgafn y byddai digonedd o bethau yno y gellid eu cymryd i wneud ceiniog neu ddwy heb i neb sylwi eu bod wedi diflannu; fyddai gŵr cefnog ddim yn gweld colli 'amball antîc'.

Yn ôl Hefin Jones roedd ei ffrind wedi cymryd hynny'n hollol o ddifri, ac yn awyddus i fwrw ymlaen gyda'r lladrad y noson wedyn. Addawodd Selwyn Evans hefyd roi ychydig o bres i'w ffrind am rannu'r wybodaeth am Geraint Ellis, ond yn ôl Hefin Jones, gwrthododd yn bendant gan mai siarad gwag yn ei ddiod oedd y cyfan i fod.

Ar ôl rhoi Hefin yn ôl yn y gell fe es yn syth i swyddfa'r Ditectif Arolygydd Owen ac yr oedd wrth ei fodd pan roddais y newydd hwn iddo. Gorchmynnodd i fy nghyfaill Cyril fynd hefo fi yn ddi-oed i holi Selwyn Evans a oedd yn byw yn 26 Rhodfa Wen.

Wrth i ni gyrraedd roedd Selwyn Evans ar ei ffordd o'r tŷ. Neidiodd Cyril amdano a'i hebrwng i'r car. Roedd yn amlwg yn adnabod Cyril ac yn ei gasáu. Yn y car dywedais wrtho ei fod yn cael ei arestio ar amheuaeth o dorri mewn i dŷ Geraint Ellis, ac ar ôl ei rybuddio dan Reolau'r Barnwyr cefais sioc pan ddywedodd;

'*Fair enough*, ma'r stwff yn 'y mhocad i. O'n i ar y ffordd i'r dre i drio ca'l dipyn amdanyn nhw rŵan eniwê.' A dyma fo wedyn yn tynnu'r modrwyau a'r freichled aur o boced ei gôt a'u taflu ataf.

Cafodd Selwyn Evans ddwy flynedd o garchar am y lladrad pan ymddangosodd o flaen Llys y Goron yng Nghaermanog ym mis Ionawr 1957, ac yn yr un llys cafodd Hefin Jones ei roi ar brawf am ddwy flynedd. Cefais innau fy nghymeradwyo gan y Prif Gwnstabl Evan Williams am fy ngwaith yn trin y mater. Roeddwn bellach yn teimlo fy mod i'n dechrau gwneud argraff yn yr Adran.

Roedd Mr Geraint Ellis wrth ei fodd fy mod wedi dal y lladron ond roedd yn siomedig iawn fod ei arddwr wedi bod â rhan yn y drosedd, yn enwedig am iddo fod wrthi'n trin yr ardd ac yn cael cyflog da am ei waith ers blynyddoedd. Roedd ei wraig, Nansi, hithau wrth ei bodd o gael y modrwyau a'r freichled yn ôl.

Fel ditectif roedd achlysuron fel hyn yn pwyso'n drwm ar fy meddwl, yn bennaf am fy mod yn ofni gwneud penderfyniadau anghywir, ond pan ddaeth fy nhri mis hefo'r C.I.D i ben roeddwn yn teimlo'n hynod ddigalon. Cefais noson dda yn y Clwb Criced ar ddiwedd fy niwrnod olaf yng nghwmni'r Ditectif Arolygydd Owen a'm cyd-weithwyr. Ar ôl cael dipyn o gwrw buom yn canu'r hen alawon a'r Arolygydd yn sefyll ar ben y gadair yn ein harwain yn ddeheuig iawn!

Ymhen yr wythnos wedyn, roeddwn yn ôl yn fy siwt yn patrolio strydoedd Caermanog. Cefais groeso mawr gan bobl y stryd a chan fasnachwyr y dref, ond roedd ryw deimlad bach o hiraeth ynof am hynt Adran y C.I.D.

Byr iawn oedd fy amser ar y stryd serch hynny, ac yn 1957 cefais y cyfle i fynychu cwrs ditectif yn Lerpwl am dri mis, a dysgu cryn dipyn yn ystod y cyfnod. Erbyn diwedd y cwrs cefais fy apwyntio'n dditectif cwnstabl yng Nghaermanog.

Ar fy niwrnod cyntaf swyddogol yn y C.I.D fe'm taflwyd i'r dwfn. Dywedodd Cyril wrthyf eu bod wedi cael mwy o achosion o ladrata mewn tai yn y dref tra byddai'r perchnogion ar eu gwyliau. Byddai'r lleidr bob tro, bron, yn cael mynediad i'r tai ar ôl gwneud twll yn ffrâm y ffenest ac yna'n gwthio gwifren drwy'r twll ac yn dadfachu'r lifer oedd yn cloi rhan uchaf y ffenest. Ei *modus operandi* bob tro oedd llenwi gobennydd a gymerid oddi ar un o'r gwlâu gyda nwyddau o'r tŷ a'u cludo oddi yno. Y math o nwyddau a gawsai eu dwyn yn aml oedd llestri arian.

Roedd y Ditectif Arolygydd Owen yn awyddus iawn i ddal y lleidr a threfnodd i un ditectif weithio rhwng 10 y nos a 2 y bore am wythnos yn patrolio'r dref. Daeth yn amser i mi weithio'r shifft honno a chyn mynd allan rhoddodd y Rhingyll Parry allwedd yn fy llaw. Eglurodd fod dyn o'r enw William Davies, a oedd yn ffrind da iddo ac a oedd yn byw ar y ffordd fawr o'r dref, wedi mynd am wythnos i wlad Groeg, ac oherwydd yr holl ladrata gofynnodd a fuasai un o'r plismyn yn fodlon cadw golwg ar ei dŷ yn ystod y nos.

Tuag 1 o'r gloch y bore hwnnw roeddwn yn y cyffiniau lle roedd William Davies yn byw ac ar ôl parcio fy nghar allan o olwg 'Glyn Llifon', penderfynais fynd i mewn i'r tŷ am ryw awr. Yng ngolau'r lleuad sylwais fod y tŷ yng nghanol cae gwastad ddau ganllath o'r lôn fawr. Roedd felly yn lle delfrydol i leidr allu cyrraedd a thorri mewn iddo heb dynnu sylw neb.

Ar ôl mynd i mewn eisteddais mewn cadair yn ymyl y swits trydan â'r fflachlamp ar fy nglin. Doeddwn i ddim wedi bod y tu fewn i'r tŷ fwy na chwarter awr pan glywais dwrw drilio'n dod o'r ffenest wrth ymyl y drws ffrynt. Gallwn deimlo fy nghalon erbyn hynny'n curo'n galed. Roedd yn rhaid i mi aros i'r person ddod i mewn i'r tŷ cyn rhoi'r golau ymlaen ond roedd yr aros yn hir. Yng ngolau'r lleuad a daflai'i llewyrch drwy'r ffenest, gwelais law yn dadfachu'r clasbyn haearn ac amlinelliad person yn camu i mewn drwy agoriad uchaf y ffenest. Pan oedd ei draed ar lawr y tŷ rhoddais y golau ymlaen. Llanc ifanc oedd o, a phan welodd fi chwydodd ar y llawr a gollyngodd yr ebill o'i afael. Ar ôl sychu'i geg hefo cefn ei law brysiodd allan o'r tŷ.

'Reit,' meddwn wrthyf fy hun, 'mae'n rhaid i mi ddal hwn.'

Ar ôl mynd allan o'r tŷ gwelais fod y llanc yn un chwim ar ei draed. Yr oeddwn innau'n rhedwr go lew hefyd ond nid oeddwn yn mynd i ddal y llanc oedd yn rhedeg nerth ei draed ac eisoes wedi ennill y blaen arnaf. Felly cofiais am yr hen dric, a gwaeddais ar ei ôl:

'Never mind mate. I know who you are and I'll see you at your home in the morning.'

Y sioc fwyaf a gefais oedd ei weld yn stopio'n syth ac erbyn i mi ei gyrraedd ni thrafferthodd frwydro yn fy erbyn wrth i mi roi'r cyffion llaw arno.

Edward Pritchard oedd enw'r llanc 25 oed. Roedd yn byw gyda'i rieni yn 14, Stryd Afallon ac yn gweithio fel clerc yn swyddfa'r Cyngor. Pan welodd Rhingyll Parry y llanc yn y stesion cafodd dipyn o fraw am ei fod yn gyfarwydd â'i deulu. Roedd o wedi synnu o glywed fy mod wedi dal y llanc yn torri i mewn i dŷ Mr Williams.

Roeddwn yn awyddus i holi Edward Pritchard y noson honno a chyfaddefodd i mi ei fod wedi torri i mewn i wyth o dai yn ystod y tri mis diwethaf. Roedd yr holl bethau a gymerodd o'r tai bellach wedi cael eu gwerthu i ddyn o Lerpwl ond gwrthododd enwi'r dyn hwnnw am ei fod yn adnabyddus am dalu'r pwyth yn ôl i unrhyw un a feiddiai roi gwybodaeth amdano. Roedd y Rhingyll Parry'n cytuno â mi mai gadael yr ymholiad am y dyn o Lerpwl a fuasai orau oherwydd natur y sefyllfa a'r hyn allai ddigwydd i deulu'r llanc.

Yn nechrau mis Ionawr 1957 cafodd Edward Pritchard ei garcharu am ddwy flynedd am y troseddau ond ni fuodd mewn unrhyw drafferth gyda'r gyfraith wedi hynny.

Pennod 9

Roedd y dyddiau a'r wythnosau'n hedfan heibio wrth imi ddelio â phob math o droseddau ond byddwn wastad yn ymdrechu i dreulio dipyn o amser yng nghwmni Glenys. Hyd yn oed os oedd hynny'n ddim ond awran fach gyda'r nos.

Ar noson o'r fath trois yn ôl am fy llety tuag unarddeg o'r gloch, ond nid oeddwn ar unrhyw frys. Wrth groesi Pont Manog, penliniais ar yr ystyllod ac edrych i lawr i'r afon oedd yn llifo'n arianlliw yng ngolau'r lleuad. Crwydrodd fy meddwl yn ôl i'm plentyndod pan oeddwn yn chwarae hefo Ifan yn yr afon ger ein cartref: y dyddiau diniwed hynny. Wrth synfyfyrio fel hyn clywais lais rhywun yn dod o dan y bont.

'Helo Ditectif Morgan.'

Gallwn weld creadur bychan yn symud â hen het feddal ar ei ben ond nid edrychodd arnaf.

'Mae gen i wybodaeth ella fydd o ddiddordeb i chi Dditectif Morgan.'

'Pwy ydach chi felly?' gofynnais cyn ychwanegu'n sydyn, 'Sut ydach chi'n gwybod fy enw i?'

'O, mae 'na sôn mawr amdanoch chi fel un da am ddal lladron. Fasa'n gywilydd i mi beidio gw'bod.'

Roedd yn amlwg nad oedd o'n awyddus i ymuno â mi ar y bont. Eglurodd ei fod wedi clywed gan rywun roedd o'n ei adnabod fod dyn o'r enw Trefor Rogers a oedd yn byw mewn fflat uwchben tŷ golchi yn delio mewn nwyddau wedi eu dwyn. Yng ngwir ystyr y gair, roedd ei fflat yn ogof lladron. Nid oedd yn gwybod rhagor ond prysurodd i ddweud y cawn fwy o wybodaeth ar y ffôn cyn bo hir gan berson yn galw ei hun yn Siôn Cati ac y dylwn dderbyn y wybodaeth yn ddiffuant. Yna ciliodd i'r cysgodion.

Wrth gerdded i gyfeiriad y llety ni allwn gredu pa mor lwcus oeddwn o gael gwybodaeth mor rhwydd, yn enwedig pan gofiwn am fy nghydweithwyr weithiau'n cael trafferth i ddod o hyd i unrhyw wybodaeth ar gyfer eu hymchwiliadau, waeth ba mor fach y bo. Ond tybed, a ddaeth y wybodaeth yn rhy hawdd?

Fore trannoeth, cefais air â'r Ditectif Rhingyll Jones ac awgrymodd yntau y dylwn gael gwarant i chwilio fflat Trefor Rogers. Ar ôl gwneud ychydig o ymchwiliadau, dysgais ei fod yn gweithio mewn ffatri yn y stad ddiwydiannol ac y byddai, fel arfer, yn cyrraedd adref tua 5 o'r gloch.

Aeth Cyril a minnau i fflat Rogers am 6 o'r gloch. Erbyn hynny roedd yn dechrau tywyllu a lampau'r stryd yn taflu eu golau ar flaen yr adeilad. Yr unig fynediad i'w fflat oedd trwy ddringo grisiau haearn. Wedi cnoc ar y drws fe'i agorwyd a rhuthrodd dyn allan gan wthio'i hun rhyngof i a Cyril, a'i bachu hi i gyfeiriad y stryd fawr. Roedd yr hergwd yma wedi peri i Cyril syrthio'n erbyn y bariau haearn ond fe'm siarsiodd,

'Dos ar ôl y diawl – dwi'n iawn!'

Felly, ar ei ôl â mi, er ei fod wedi cael y blaen o dipyn arnaf. Trwy lwc roeddwn yn medru ei weld yn y pellter. Fe wyddai fy mod yn ei ddilyn ac yn wir yr oeddwn yn raddol nesáu ato. Taflai gipolwg dros ei ysgwydd bob yn hyn a hyn i weld y pellter rhyngom yn lleihau. Ar ôl ei ddilyn am ryw chwarter awr gwelais ef yn troi o'r stryd fawr i'r lôn gul a oedd yn arwain at hen warws adfeiliedig. Erbyn i minnau droi i'r lôn nid oedd golwg o Trefor Rogers ond roeddwn yn amau ei fod yn cuddio yn yr adeilad gwag. Yn anffodus nid oeddwn yn cario fflachlamp ac ar ôl mynd i'r warws gelwais arno i ddod o'i wirfodd ond yn ofer. Wedi gwrando'n astud am ychydig clywais y llawr uwchben yn gwichian wrth i rywun symud. Yn sydyn clywais sŵn pren yn gwegian dan bwysau a disgynodd Rogers fel y manna o'r nef, yn swp o'm blaen. Cyn iddo sylweddoli'r hyn oedd wedi digwydd roeddwn wedi rhoi'r gefynnau llaw amdano a'i hebrwng i'r stesion.

Ar ôl ei gloi yn y gell dychwelais i'r bloc o fflatiau i weld a oedd Cyril yn iawn ar ôl y codwm. Wedi cyrraedd yno fe'i gwelais yn eistedd yn y gegin yng nghanol pentyrrau o bob math o bethau: radios ceir, bagiau llaw, lampau ceir o bob maint, teiars wedi eu gwisgo, a mynydd o gotiau lledr. Cyfaddefodd Rogers maes o law ei fod wedi dwyn o geir ac o ambell fodurdy yn y dref. Fe'i cyhuddwyd yn syth ac yn Llys y Goron ym mis Tachwedd 1958 cafodd ddedfryd o garchar am ddwy flynedd.

Dyma'r tro cyntaf i mi gwrdd â'r hysbyswr a alwai ei hun yn Siôn Cati, ond yn sicr nid hwn oedd y tro olaf. Bob tro y byddwn yn cwrdd ag ef, dan Bont Manog fyddai hynny. Cafodd achos Rogers sylw mawr yn y pencadlys ac ymhen blwyddyn cefais ddyrchafiad i fod yn dditectif rhingyll, yn rhannol oherwydd canlyniad yr ymchwiliad. Er mwyn cael y dyrchafiad, roedd yn rhaid i mi astudio'r Gyfraith ac yn nechrau 1958 sefais ddau arholiad. Trwy lwc mi lwyddais yn y ddau. Gyda hynny'r tu ôl i mi, gallwn bellach ymroi'n llwyr i'm gwaith yn y C.I.D.

Tua'r un cyfnod priodais â Glenys yng Nghapel Bethesda yn Rhyd y Foel. Golygfa a drysorwn ar hyd fy oes oedd honno o Glenys yn cerdded yn ei gwisg sidan, wen ac yn llaw ei thad i gyfeiriad y sêt fawr lle roeddwn i'n sefyll â chledrau fy nwylo'n chwys i gyd, a Cyril wrth fy ochr. Priodas fach a gawsom ond ni wnaeth hynny fennu dim ar faint y dathlu. Yna cawsom wythnos yn yr Alban ar gyfer ein mis mêl ac ar ôl dychwelyd, symudom i fyw i un o dai'r heddlu yng nghanol Caermanog.

Ar ddechrau mis Mehefin 1958 cefais alwad i weld y Prif Gwnstabl yn y pencadlys ac i ddechrau ar fy ngwaith fel Ditectif Rhingyll llawn. Cefais longyfarchion gan bawb yn y stesion y diwrnod hwnnw ac, wrth gwrs, roedd Cyril wedi trefnu parti y noson honno. A noson i'w chofio oedd honno!

Fel Ditectif Rhingyll byddai'r rhan fwyaf o'm dyletswyddau yn golygu trefnu a dosbarthu'r gwaith rhwng y ditectifs a'm cydweithwyr ond yr oeddwn yn awyddus i ddal ati i ddatrys troseddau difrifol.

Pennod 10

Ar brynhawn Sadwrn, ryw dair wythnos cyn Nadolig 1958, bu'n rhaid i mi ymgymryd â thasg hynod heriol: mynd i siopa efo Glenys. Roedd y strydoedd yn orlawn, y goleuadau Nadolig yn ddisglair uwchben ac alawon hyfryd y carolau'n llenwi'r aer.

Yng nghanol y dedwyddwch hwn rhuthrodd llanc ifanc heibio inni, wedi cipio bag llaw gwraig oedrannus ac wedi'i gadael ar ei hochr ar y palmant. Aeth Glenys at yr hen wraig ac es innau ar ôl y llanc gan geisio sicrhau nad âi o'm golwg.

'Stop that lad! He's stolen a lady's handbag!' gwaeddais wrth redeg, ond ychydig a gymerodd sylw.

Erbyn hynny roedd y llanc yn dechrau arafu a thrwy drugaredd roeddwn innau'n ennill tir arno. Er mawr syndod imi stopiodd y llanc yn stond a throi'n ôl i'm hwynebu. Roedd golwg fygythiol ar ei wyneb ond cyn iddo fentro gwneud dim llwyddais i afael ynddo. Cymerais y bag llaw oddi arno a'i hebrwng i un o'r siopau i gysylltu â'r stesion er mwyn i rywun ddod i'w gasglu. Rhoddodd ei enw fel Matthew Ratcliffe a'i stori oedd ei fod wedi dod o Lerpwl i ymweld â'r dref.

Cyrhaeddodd y fan o'r stesion yn o handi ac ar ôl i mi gael gair gydag un o'r plismyn am yr hyn ddigwyddodd aethpwyd â'r llanc ymaith. Heb wastraffu dim mwy o amser es i'n fy ôl i weld sut oedd yr hen wraig. Erbyn hynny roedd yna ambiwlans wedi cyrraedd ac roedd Glenys yn gafael ym mhen y wraig wrth i un o'r parafeddygon ofalu amdani. Wedi rhoi sylw iddi fe'i cludwyd i'r ysbyty ac aethom ninnau i gaffi Leo i ddod dros y cyffro. Hwyliodd yntau baned bob un i ni, â joch o wisgi ynddynt.

Am 8 o'r gloch y noson honno es am y stesion i holi'r llanc. Yn y cyfamser, ar ôl i un o'r ditectifs geisio gwirio enw a chyfeiriad y llanc, daeth y wybodaeth yn ôl fod y rheiny'n ffug. Gwyddwn, felly, y byddai hwn yn un anodd ei drin ond rhaid oedd ei holi'r un fath.

'I don't want to waste much time with you because you yourself know I can charge you at any time with theft and assault, but if you're giving us false information I can keep you in custody for much longer. And as a result of your actions today a frail woman is being treated in hospital as we speak. So let's start from the beginning and why don't you tell me who you are and where you're from?'

Cliriodd ei wddf cyn eistedd yn ôl yn ei sedd a chroesi ei freichiau.

'Alright.' Cyfaddefodd yn y man, 'Alright, I live in Birkenhead. 14 Carlton Way, Birkenhead. Me real name's Joseph Mally.'

'And have you been in trouble with the police before? I want an honest answer.'

''Bout two years ago, I got done for assault after a fight outside a pub in Liverpool,' atebodd yn dalog.

'Did you go to prison?'

'No. I got two years probation.'

'Are you still on probation?'

Ni atebodd.

'Well?'

'Yeah . . . So I know I'm trouble.'

Felly dyma ofyn, 'Do you want to make a written statement under caution?'

'No.'

Ac ar hynny fe'i rhoddwyd yn ôl yn y gell.

Y tro hwn roedd ei enw a'i gyfeiriad yn gywir ac yn wir roedd yn adnabyddus i'r ditectifs ym Mhenbedw. Ar ôl gorffen gyda Mally y noson honno ymwelais â'r hen wraig.

Yno'n eistedd wrth ei gwely roedd ei merch, Ann. Dywedodd wrthyf fod ei mam wedi bod yn hynod ffodus gan nad oedd wedi torri'r un asgwrn, ond ei bod wedi'i chleisio'n arw. Ac er ei bod yn wan iawn llwyddais i gael gair bach gyda Lizzie Owen. Prin oedd hi'n gallu siarad oherwydd y poenau yn ei hysgwydd ac effaith y cyffuriau, ond roedd hi am i mi ddiolch i'r ddynes garedig a ofalodd amdani ar ôl ei chodwm. Pan ddywedais mai fy ngwraig oedd honno, gafaelodd yn dynn yn fy llaw ond ni ddywedodd yr un gair. Roedd y wên ddiffuant ar ei hwyneb yn dweud y cwbl.

Ar ôl cael gair arall gyda'r Ditectif Arolygydd Owen penderfynwyd cadw Joseph Mally yn y ddalfa tan fore dydd Llun er mwyn ei roi o flaen y llys i ofyn am yr hawl i'w gadw yn y ddalfa am o leiaf wythnos.

Cyn diwedd yr wythnos daeth newydd da fod Mrs Lizzie Owen wedi gwella digon i fynd adref. Gelwais yn yr ysbyty i ffarwelio â hi a chyn gadael, diolchodd ei merch i mi am bopeth yr oeddwn wedi ei wneud ac estynnodd groeso i mi a'm gwraig alw heibio'i chartref yn Heulfryn, Manog Terrace cyn y Nadolig.

Cyhuddwyd Joseph Mally'n derfynol o dair trosedd:

ymosod ar Mrs Lizzie Owen, lladrad, a thorri rheolau ei brofanniaeth. Erbyn mis Mawrth y flwyddyn ganlynol cafodd ddedfryd o ddwy flynedd o garchar a chyn diwedd 1958 aethom i weld Lizzie Owen a'i merch. Roedd y ddwy mor falch o'n gweld a chawsom orig fach ddifyr yn sgwrsio a gwledda ar amrywiaeth o deisennau cartref. Cyn gadael aeth Mrs Owen i'r cwpwrdd deuddarn i nôl dau addurn o geffylau gwedd yn anrheg i Glenys am ofalu amdani gystal yn ystod y lladrad. Diolchodd Glenys a dymunodd yn dda i'r hen wraig.

Roedd llawer o lanciau ifanc, yn enwedig rhai o ochrau Lerpwl yn dueddol o wneud y math yma o droseddau yn ystod yr haf. Ambell un yn dilyn rhywun ac yna'n sydyn yn torri strap y bag llaw hefo cyllell boced ac yna'n rhedeg i ffwrdd. Lawer tro byddwn yn dod o hyd i'r bagiau wedi eu taflu i erddi cyfagos a'r cynnwys wedi diflannu.

Cefais dipyn o seibiant o'r gwaith dros Nadolig 1958 a bu Glenys a minnau'n aros am ychydig ddyddiau gyda'i rhieni yn Rhyd y Foel. Cawsom gyfnod wrth ein bodd a chinio Nadolig bendigedig – yr ŵydd yn flasus iawn, a'r pwdin 'Dolig cartref a oedd wedi ei goginio mewn cwd o frethyn, ac wedi ei fwydo mewn brandi, yn goron ar y cyfan. Ar ôl y cinio mawr eisteddom yn y gegin orau o flaen tanllwyth o dân gyda Glenys wrth y piano'n chwarae medlai o emynau a charolau, a Tom yn arwain y canu gyda'i lais bas cryf. Bob yn ail â'r canu byddem yn llymeitian yn hael. Ie, diwrnod hapus a gefais yng nghwmni'r teulu bach yma ond roedd yn rhaid galw i weld fy nheulu fy hun cyn diwedd y dydd.

Roeddent yn falch o'n gweld, yn enwedig Ifan. Ar ôl

dosbarthu'r anrhegion fe'i dilynais i'r buarth ac yna i'r sgubor i glywed yr hyn oedd ar ei feddwl.

'Gwranda Huw, tydi dad ddim wedi bod yn dda'r misoedd dwytha 'ma. Cwyno ei fod o'n blino'n hawdd ac yn teimlo'n wan wrth ei waith. Ac mi wyddost ti fel mae o; tydi o ddim yn un am wneud stŵr. Mae o wedi fy rhybuddio i gadw'n ddistaw ac i beidio â sôn wrth Mam, ond tydi 'mond yn iawn i chdi gael gw'bod.'

Hwn oedd y newydd y bûm yn ofni'i glywed ers blynyddoedd. Bob tro y gwelwn fy nhad yr adeg honno mi fyddai ei ddillad yn fwy llaes a'i wyneb yn mynd yn fwyfwy pantiog. Ond nid oedd wiw i mi sôn wrth mam na 'nhad gan ei fod yn ŵr mor falch, mor styfnig. Y cwbl allwn i ei wneud oedd cadw golwg o bell a chael ambell sgwrs gydag Ifan amdano, ond nid oedd hynny'n tawelu dim ar fy nghydwybod.

Pennod 11

Roedd hi'n weddol ddistaw yn swyddfa'r C.I.D rhwng y Nadolig a'r flwyddyn newydd ond roeddwn yn reit brysur rhwng y gwaith papur ac arolygu'r ditectifs newydd gyda'r gwahanol dasgau a godai o ddydd i ddydd.

Yn ystod wythnos gyntaf 1959 cefais alwad gan Eirlys Jones, meddyg yn yr ysbyty a oedd hefyd yn gyfaill bore oes i Glenys, yn dweud fod yna lanc newydd gyrraedd yr adran ddamweiniau wedi cael ei drywanu yn ei gefn rhwng ei ysgwyddau. Y stori gan Walter Evans, y llanc 25 oed, oedd ei fod ar ei ffordd adref yn oriau mân y bore ar ôl ymweld â'i gariad oedd yn byw mewn fflat uwch ben Banc y Midland yn y stryd fawr. Ar ôl croesi Pont Manog ac wrth nesáu at y llwybr i gyfeiriad ei gartref neidiodd rhywun o'r gwrychoedd gyda chyllell yn ei law a thrywanu'r llanc.

'That's for ya' dad, mate!' sibrydodd yr ymosodwr cyn diflannu ar amrantiad.

Er ei fod yn gwaedu'n ddifrifol ac yn araf ei gamau, llwyddodd i gyrraedd ei gartref. Ar ôl curo'r drws disgynnodd yn llipa i'r llawr a galwyd am ambiwlans gan ei dad. Dyna'r cyfan a gafodd Eirlys wybod, felly, am yr ysbyty â mi.

Fe'm croesawyd yn yr adran ddamweiniau gan wên gyfarwydd Eirlys a oedd yn awyddus i gael gwybod sut oedd Glenys a'r teulu.

'Pryd wyt ti am briodi d'wad?' gofynnais iddi.

'Dwi'n rhy brysur yma i chwilio am ŵr, Huw, ond ella y daw 'na un wedi torri'i goes drw'r drysau 'na ryw ddydd.'

Ar hynny dyma newid y sgwrs i sôn am Walter Evans a oedd bellach wedi ei symud i Ward 3. Rhoddodd Eirlys ganiatâd i mi fynd i weld y llanc er mwyn cael dipyn mwy o fanylion ganddo am y digwyddiad. Yr oedd mewn ward fechan iawn yn cynnwys chwe gwely a phob un wedi'i gymryd. Ar ôl cael gair gydag un o'r nyrsys, aethpwyd â mi at y llanc a oedd erbyn hynny ar ei eistedd yn y gwely. Yn ôl y nyrs roedd yr anaf yn ei gefn wedi cael ei bwytho ond roedd yna fymryn o waed yn dal i ollwng.

Roedd y llanc yn llwyd iawn yr olwg ond er ei fod wedi ei anafu'n ddrwg, drwy drugaredd nid oedd y gyllell wedi niweidio'r tu fewn i'w gorff. Cytunodd i siarad efo fi am y digwyddiad ond roedd ei atebion yn araf yn dod.

''Sgynnoch chi syniad pwy sy'n gyfrifol am hyn?'

'Nagoes . . . mi ddigwyddodd . . . bob dim . . . mor . . . sydyn.'

'Mi sonioch chi wrth y doctor fod eich ymosodwr wedi deud 'That's for your dad'. Ydach chi'n gwbod be oedd ystyr hynny?'

'Dwn i'm ydach chi'n gwbod . . . ond oedd 'nhad . . . yn blismon yn' dre 'ma . . . ryw wyth mlynadd 'nôl . . . cyn iddo ga'l . . . y sac am ymosod ar ddyn . . . ella fod rhywun yn talu'n ôl am be nath 'nhad . . .'

Dywedais wrtho y byddwn yn cadw'r hyn ddigwyddodd i'w dad mewn cof wrth barhau i ymchwilio.

Roedd yn anodd i mi gael golwg ar ei anaf oherwydd y rhwymau o gylch ei gorff ond yn ôl y Dr Ivor Jones a bwythodd yr anaf, roedd y briw yn ei gefn rhyw dair modfedd o hyd ac wedi ei wneud â chyllell lif. Cytunodd Dr Jones i wneud datganiad i mi am ei archwiliad o anafiadau'r llanc.

Cefais ei ddillad a oedd yn mwydo mewn gwaed a'u rhoi mewn bagiau pwrpasol fel tystiolaeth ar gyfer yr ymchwiliad. Yn y cyfamser roedd dau dditectif wedi bod yn archwilio cyffiniau'r digwyddiad rhag ofn fod yr ymosodwr wedi taflu'r gyllell i'r gwrychoedd ger yr afon, neu'n wir i'r afon.

Pan oeddwn ar fin gadael y llanc daeth ei dad i mewn i'r ward felly bachais ar y cyfle i gael gair gydag o. Dyn tal a weithiai fel Swyddog Diogelwch mewn ffatri ar gyrion y dref oedd Mr Eifion Evans.

O weld cyflwr ei unig fab dywedodd, 'Mi lladda i'r diawl os ga i afa'l arno fo. Tydi'r hogyn yma 'di gwneud dim drwg i neb.'

'Gadewch y mater yna i ni Mr Evans.' Yna penderfynais ychwanegu, 'Mae'n ddigon posib fod rhywun wedi ymosod ar eich mab, ella am rywbeth ddigwyddodd flynyddoedd yn ôl, neu'n wir am ryw fater arall.'

'Be 'dach chi'n feddwl Sarj?' holodd, a'i lygaid yn culhau.

'Wel, ella'ch bo chi wedi gwneud gelyn hefo rhywun yn y ffatri,' meddwn gan fethu peidio â sylwi ar ei ymateb.

'Reit.'

Oedais am ychydig cyn mentro gofyn, 'Be 'di enw'r dyn fuoch chi mewn trwbwl hefo fo pan oeddech chi'n blismon?'

Teimlais fod fy nghwestiwn wedi dod yn annisgwyl iddo ac wedi oedi ennyd atebodd; ''Dach chi'n f'atgoffa i o amsar poenus yn fy mywyd, Sarj . . . Isaac Parry oedd enw'r dyn. Dwi'n meddwl ei fod o'n dal i fyw rhywle o gwmpas Stad y Wennol. Fyddwch chi'n siŵr o gael gair hefo fo felly?'

'Mae'n ddigon posib. Ond os clywch chi unrhyw beth, cysylltwch hefo fi'n syth.' Ar hynny gadewais yr ysbyty.

Ar ôl cyrraedd swyddfa'r C.I.D cefais wybod nad oedd y

ddau dditectif wedi darganfod dim o bwys wrth archwilio Hazel Bank felly euthum ati i drefnu i blymwyr fynd i chwilio'r afon. Wedi gwneud hynny, yr oedd yn bryd i mi alw i weld Mr Isaac Parry yn 20, Rhodfa'r Wennol. Yn annisgwyl cefais groeso ganddo.

'Ro'n i'n disgwyl gweld rhywun o'r heddlu yma ar ôl i mi glwad y newyddion pnawn 'ma.'

Heb oedi rhagor, mi es yn syth i lygad y ffynnon: 'Oedd gynnoch chi rwbeth i'w wneud â'r digwyddiad neithiwr?'

Daeth awgrym o wên i'w wyneb cyn iddo fy ateb, 'Ddim o gwbl . . . Ylwch Sarj, mi faswn i wedi dial ar y plisman 'na ymhell cyn rŵan taswn i fod wedi bwriadu gwneud. Ro'n i'n ddigon bodlon clywed ei fod o wedi colli ei job ar ôl be' ddigwyddodd.'

Roedd ei atebion am y digwyddiad yn rhesymol iawn ac mae'n rhaid imi gyfaddef fy mod yn ei weld yn dipyn o gymeriad. Yn wir, roeddwn yn fy nyblau pan gefais yr ateb i'm cwestiwn,

'Dwi'n gweld fod gynnoch chi ddau deledu; un ar ben y llall. Be 'di'r syniad felly?'

'Wel, Sarj. Fedra i 'mond cael llun o'r un ar y top, a dim ond sŵn o'r un gwaelod.'

'Wel dyna dda!'

Roedd siarad mawr am y digwyddiad ger Hazel Bank, yn enwedig am fod Walter Evans yn ddyn mor boblogaidd ac yn weithgar gyda gwahanol elusennau'r dref. Ond nid oedd yn hir cyn i ni gael newydd da: cafodd y plymwyr hyd i gyllell yn afon Manog a hynny'n agos iawn at y fan lle cafodd Walter ei drywanu. Fel y tybiodd Dr Jones, cyllell lif oedd yr offeryn a ddefnyddiwyd.

Roeddwn yn teimlo fod pethau'n gwella yn yr ymchwiliadau ac roedd y papur lleol, *Newyddion Manog*, wedi rhoi sylw mawr i'r digwyddiad ac yn cynnig £500 o wobr am unrhyw wybodaeth a fuasai'n arwain at ddwyn y person oedd yn gyfrifol am y drosedd i'r ddalfa.

Un diwrnod penderfynais nad drwg o beth fyddai cael gair arall gyda thad Walter Evans felly euthum draw i'r lle yr oedd yn gweithio fel Swyddog Iechyd a Diogelwch. Ond pan gyrhaeddais yno, ni chefais lawer o gymorth gan Mr William Hangs, y Swyddog Personél.

'The problem is that most of the workers here don't like coppers and honestly Sergeant, you would have to question a lot of people here to get a scrap of information,' oedd ymateb sarrug Hangs.

I ryw raddau roedd o'n llygad ei le felly gadewais y ffatri gan deimlo, am y tro cyntaf ers i mi ymuno â'r C.I.D, fel petawn i'n chwilio am nodwydd mewn tas wair.

Yn ystod y cyfnod hwnnw roeddwn yn gweithio oriau hir ac roedd y tri ditectif a weithiai efo mi'r un mor awyddus i ddal yr ymosodwr cyn gynted ag oedd modd. Roedd pwysau'r gwaith yn amlwg gartref.

'Ti'n dawel iawn y dyddia 'ma,' meddai Glenys unwaith wrth i mi ryw bigo bwyta swper.

'Gymaint ar fy meddwl . . . yli, Glenys, fydd pob dim yn well cyn bo hir . . . gei di weld.'

Ond un noson, a'r distawrwydd yn drwch rhyngom dyma hi'n cyhoeddi, 'Ella y codith hyn dy galon di . . . mewn llai na chwe mis fydd 'na rywun arall yn cadw cwmni i ni yn y tŷ 'ma.'

Ni chafodd y cyfle i ddweud gair arall cyn i mi afael ynddi a'i chusanu mewn llawenydd. Roedd hi wedi bod yn y clinig yn y bore ac wedi cael y cadarnhad. Siawns fod hyn yn arwydd fod pethau'n dechrau gwella, meddyliais.

Bythefnos yn ddiweddarach, cefais neges gan un o'r ditectifs fod rhywun am gysylltu â mi ar y ffôn tua 4 o'r gloch y prynhawn hwnnw. Canodd y ffôn ar ben yr awr ac ar ôl i mi adnabod y llais dyma fi'n ei gyfarch;

'Wel Siôn Cati, dyn diarth.'

Y cyfan a ddywedodd oedd, 'Huw, tyrd at y bont heno am naw,' a dyma'r llinell yn tawelu.

Am weddill y dydd roeddwn yn pendroni braidd ac yn meddwl tybed beth oedd gan fy hysbyswr i'w ddweud. Tua 9 y noson honno roeddwn yn penlinio ar y bont pan ymddangosodd Siôn Cati yn y cysgodion.

Yn fyr ei eiriau dywedodd, 'Mae'r wybodaeth yma 'di bod gen i ers dipyn . . . mae arna i ofn. A dwn i'm be i'w wneud.'

'Wel, Siôn, mae'n amlwg dy fod wedi gwneud dy benderfyniad drwy 'ngweld i.'

Ystyriodd am ychydig cyn dweud, 'Yli Huw, ella nad oes yna ddim byd yn y wybodaeth yma ond y diwrnod ar ôl i Walter gael ei drywanu, mi aeth 'na hogan ifanc â jins dyn wedi'i staenio i'r tŷ golchi yn y stryd fawr.'

Eglurodd wedyn fod yna blismon wedi bod yn holi yn y tŷ golchi a bod yr hogan a weithiai yno wedi dweud celwydd wrtho oherwydd ei bod yn adnabod perchennog y jins ac yn ei ofni. Nid oedd gan neb yn yr ardal enw da iddo ac, yn fwy na hynny, yr oedd wedi dial ar sawl un yn y gorffennol.

'Wel, sut gest ti'r wybodaeth yma?'

'Soniodd yr hogan yn y siop wrth rywun dwi'n nabod.'

'Wyt ti'n medru dweud rhywbeth arall wrtha i?'

'Yn ôl yr hogan yn y Tŷ Golchi, ei enw ydi Vivian Owen. Mae o'n byw yn un o'r tai cyngor.'

Ar hynny diflannodd yn ôl i'r tywyllwch ond cyn imi adael y bont gwaeddais i gyfeiriad yr afon; 'Ella y cei di'r £500 gan *Newyddion Manog*. Wna i ddim dy anghofio di.'

Yr oeddwn yn reit hapus hefo'r wybodaeth a gefais gan Siôn ac roedd yn rhaid i mi ymchwilio'n fanwl i gefndir Vivian Owen. Erbyn gweld roedd gan y gŵr 45 oed hwnnw nifer o euogfarnau yn ei erbyn, y mwyafrif am ymosodiadau difrifol, roedd ef bellach yn ddiwaith ac yn byw gyda'i ferch yn 3, Y Winllan, Caermanog. Chwe mis ynghynt yr oedd yn gweithio yn y ffatri lle roedd tad Walter Evans yn gweithio ac mewn cyfweliad arall, mwy llwyddiannus hefo Mr Hangs, y Swyddog Personél, cefais wybod fod Vivian Owen wedi cael ei ddiswyddo. Fe'i holais yn fwy manwl am amgylchiadau'r digwyddiad. Eglurodd yntau fod Mr Eifion Walters, y Swyddog Diogelwch, wedi stopio Vivian Owen wrth y giât pan oedd o wedi gorffen ei stem ac wedi gofyn iddo wagio'i bocedi. Roedden nhw'n llawn bolltau a hoelion oedd yn perthyn i'r ffatri. Hwn oedd yr eildro iddo ddwyn oddi wrth y cwmni felly cafodd ei ddiswyddo yn y fan a'r lle.

Roedd y wybodaeth yr oeddwn wedi'i chael yn dystiolaeth gref, ac yn hwyr un prynhawn aeth tri ohonom i arestio Vivian Owen yn ei gartref yn Y Winllan. Yn anffodus nid oedd Owen adref ac esboniodd ei ferch ei fod, fwy na thebyg, yn chwarae snwcer yn y Neuadd Goffa. I ffwrdd â ni wedyn i'r Neuadd a dyna lle roedd Owen yn asesu'r peli ar y bwrdd.

Pan welodd y tri ohonom cododd ei giw i'n cyfeiriad ac arthio, 'Be ddiawl ydach chi isio rŵan?'

‘Vivian Owen, rydw i’n eich arestio ar amheuaeth o ymosod ar Walter Evans ger ei gartref yn oriau mân y pedwerydd o Ionawr eleni.’

Wrth i mi ei rybuddio dan Reolau’r Barnwyr trodd at un o’m cyd-weithwyr a’i fygwth gyda’r ciw. Rhaid oedd, felly, ddefnyddio mwy o rym gydag o a rhoi’r gefynnau am ei ddwylo.

‘Ga i chi am hyn y diawliaid!’ gwaeddodd arnom cyn troi at ei gyfaill, ‘Give Gwyn Owen a call.’

Yr oedd Mr Owen yn adnabyddus i mi fel y twrnai oedd yn dueddol o gynrychioli nifer o droseddwyr y dref. Doedd dim diben i mi ei holi’r noson honno felly cafodd fynd ar ei ben i’r gell. Yn y cyfamser aeth y ditectifs i gartref Vivian Owen i gymryd meddiant o’r siaced a’r jins a’u trosglwyddo i arbenigwyr y labordy.

Drannoeth, cafodd Owen ei holi yng ngŵydd ei dwrnai ond ar ôl ei gwestiynu am yr ymosodiad ar Walter Evans, gwadu’r cyfan a wnaeth felly fe’i cadwyd yn y ddalfa eto. Yn fuan wedyn daeth newydd o’r labordy eu bod wedi darganfod diferion o waed ar siaced a jins Owen a oedd yn cyfateb i waed Walter Evans. Yr oedd hyn wedi fy rhyfeddu o gofio fod y dillad wedi’u golchi’n drylwyr, ond yn amlwg nid oedd modd cuddio’r gwir, waeth faint o ymdrech a wnaed.

Roedd gennyf ddigon o dystiolaeth erbyn hynny ac fe gyhuddwyd Owen o geisio llofruddio Walter Evans. Er iddo bledio’n ddieuog yn Llys y Goron fisoedd yn ddiweddarach, cafodd y rheithwyr ef yn euog o’r drosedd ac fe’i dedfrydwyd i wyth mlynedd yn y carchar.

Cefais lawer o fwynhad yn fy ngwaith fel Ditectif Rhingyll yn datrys y drosedd hon a chael cyd-weithio â thîm o dditectifs gweithgar a diwyd. Roedd y rhan fwyaf o gymdogion yr ardal yn falch o gael gwared ag Owen a oedd wedi codi cymaint o ofn yn yr ardal dros y blynyddoedd. Erbyn hyn, roedd Walter Evans wedi gwella ac yn ôl yn ei waith. Diolchodd ei dad am yr hyn a wnaed yn ystod yr achos, ond wrth iddo wneud hynny ni allwn beidio â theimlo braidd yn annifyr gan ei fod yn diolch i'r un anghywir. Heb gymorth Siôn Cati mae'n bosib y buasem wedi bod am fwy o amser o lawer yn chwilio am y troseddwr neu hyd yn oed heb fod wedi'i ddal. Roeddwn yn fwy na bodlon talu'r wobr o £500 iddo.

Pennod 12

Ar ddechrau mis Awst 1960 ganwyd mab i Glenys a minnau yn Ysbyty Caermanog a llawenydd mawr i'n teuluoedd oedd clywed y newydd. Ni fuom yn fawr o dro'n meddwl am enw ar ei gyfer. Roedd Glenys wedi bod yn awyddus i'w alw'n Alun Wyn, ar ôl ei thaid na chafodd erioed ei gyfarfod. Ar ôl i'r ddau adael yr ysbyty cymerais bythefnos o wyliau i dreulio amser gyda'r teulu a chyfnod dedwydd oedd hwnnw pan ddeuthum i adnabod fy mab bach.

Un diwrnod yn ystod y gwyliau gadewais Glenys a'r babi yng nghwmni ei rhieni yn Rhyd y Foel a threulio ychydig o oriau gyda'm teulu yn Abernant. Roedd yn amser cynaeafu ŷd yn Allt Wen, felly roeddwn yn teimlo rheidrwydd cynnig help llaw i Ifan, yn enwedig gan fod fy nhad wedi nychu'n arw ac wedi mynd yn gaeth i'r tŷ, ar wahân i ambell noson pan fyddai mewn digon o hwyl i gerdded ei gi. Ond bryd hynny byddai'n rhaid iddo ddibynnu ar ffon i gerdded. Roedd Ifan wedi cyflogi gwas ar gyfer yr amser prysur yma, ond roedd yn ddiolchgar am bob cymorth ychwanegol a gawsai.

Cawsom ginio heb ei ail a mam wedi hwylio mwy na digon i ni'r gweithwyr llwglyd. Tra oeddwn yn gwledda bu'n rhaid i mi ateb llwythi o gwestiynau am Glenys, y babi a pha bryd y byddent yn debygol o gael treulio amser yng nghwmni'r newydd ddyfodiad. Daeth y diwrnod ar y fferm i ben yn llawer rhy fuan, wedi crwydro'r caeau a'r sgyrsiau ffraeth, a dychwelais adref at Glenys a'r bychan.

Ond ar ddiwrnod olaf y gwyliau aethom ill tri i Allt Wen i gyflwyno Alun Wyn yn iawn i'w nain, taid a'i ewythr.

Ar ôl cyrraedd aethom i'r gegin orau ac o flaen tanllwyth o dân eisteddodd mam ar ei chadair siglo gydag Alun Wyn ar ei glin ac yno y bu'n magu'r bychan am yn hir.

'Dydach chi'm yn ei ga'l o'n ôl dalltwch. Mae o'n reit hapus yma lle mae o,' cyhoeddodd yn y man cyn ychwanegu mewn llais balch, 'Wyddost ti be Huw, mae o'n debyg iawn i dy daid druan. Edrycha ar ei drwyn a'i fochau llawn o.' Gwyrodd ei phen yn nes at y bychan a dweud, 'Ia, un o deulu Morgan wyt ti'n de.'

Roedd fy nhad yn eistedd gyferbyn â mam, yn gafael yn llaw Glenys ac yn ddistaw ei leferydd. Pan ddaeth yn dro iddo afael Alun ni allai wneud hynny ond am ychydig. Ond wrth ei fagu, tynnodd sofren o boced ei wasgod a'i rhoi'n ofalus yn llaw'r bychan.

'Pob lwc i ti Alun Wyn, fy ŵyr annwyl.'

'Mae o'n fabi tlws Glenys, ydi wir,' meddai mam wrth godi Alun a'i roi ar lin Ifan. 'Ma' taid wedi blino dipyn ac mae'n hen bryd i nain fynd i hwylio te rŵan.'

'Dyna ni – tyrd at d'wncl Ifan. Ewadd, ma'n hogyn nobl yn dydi . . .' Ac fel hynny y bu yn tynnu ystumiau ac yn gwneud bob math o synau i ddifyrru'r bychan. Yna rhoddodd y babi i Glenys a chyhoeddi 'A'i nôl y camera rŵan.'

Tynnwyd llun ohonom oll hefo Alun.

Cyn gadael yr Allt Wen cawsom lond bol o fwyd ac orig ddifyr tu hwnt. Cyrhaeddom adref tua 10 o'r gloch ac Alun Wyn yn chwyrnu'n dawel. Roedd y *Morris 1000* yn fendith yn hyn o beth. Yn fuan wedi rhoi'r babi yn ei grud aeth Glenys am y gwely ond arhosais i yn y gegin gan ystyried yr holl newidiadau a fu'n ddiweddar. Wrth imi hel meddyliau buan y trodd fy meddwl at fy nhad a'r newid mawr a welais yn ei gyflwr. Meddyliais hefyd am fy mam a oedd yn amlwg yn poeni'n fawr amdano ac yn ofni y digwyddai rhywbeth iddo yn y dyfodol agos. Ella roeddwn yn mynd o flaen gofid am gyflwr fy nhad felly ceisiais godi fy nghalon drwy feddwl mor lwcus oeddwn o gael Glenys ac Alun Wyn.

Roeddwn hefyd yn falch o fod wedi cael gair gydag Ifan a oedd bellach yn rhedeg y fferm a hynny'n wir yn llwyddiannus iawn, er ei fod yn mynnu dal i weithio'r hen gaseg ar y tir. Roedd o wedi prynu tractor ond roedd o'n ddigon anfoddog i'w ddefnyddio. Serch hynny, buan y sylweddolodd gyfleustra cael tractor ar fferm yn ogystal â'r offerynnau mecanyddol eraill. Roedd y ffordd o weithio'n newid yn gyflym ac felly roedd y gost o redeg fferm yn codi. Roedd yn dal i gadw gwartheg godro ac roedd y peiriannau godro yn y beudy wedi hen ennill eu plwyf. Y gwas, Rhys Jones, oedd yn gyfrifol am y gwartheg. Llanc 23 oed oedd Rhys ac roedd yn byw gyda'i deulu mewn tŷ capel yn Abernant. Pan ddaeth i'r Allt Wen roedd gwaith fferm yn hollol ddieithr iddo ond buan y dysgodd dan ofal Ifan, a phrofodd ei hun i fod yn weithiwr cydwybodol iawn.

Wrth fyfyrio fel hyn clywais yr hen gloc mawr yn taro hanner nos. Roedd hi'n bryd mynd i'r gwely, roedd gwaith yn galw yn y bore.

Pennod 13

Roedd dydd Llun cyntaf mis Medi 1960 yn ddiwrnod tyner a'r haul yn tywynnu'n braf rhwng brigau'r coed ac roeddwn innau ar bigau'n barod i ddechrau gwaith. Wedi cael tamaid o frecwast a magu Alun Wyn am sbel, gan ryfeddu at ba mor sionc oedd o, casglais fy mhethau a chychwyn am y stesion.

Cyrhaeddais y swyddfa erbyn 9 o'r gloch ac ar fy nesg roedd pentwr o gardiau'n dymuno'n dda i Glenys a minnau ar enedigaeth ein mab. Roedd yna hefyd bentwr o waith papur yn fy nisgwyl a llwythi o negeseuon am y troseddau diweddaraf oedd angen eu hastudio. Yn y prynhawn daeth y Ditectif Rhingyll ataf â gwên ar ei wyneb; 'Wel Huw, llongyfarchiadau i ti a'r wraig.'

'Diolch i chi.' Ac wrth gyfeirio at y papurau ar fy nesg ychwanegais, ''Dach chi wedi bod yn brysur yn ddiweddar.'

'A deud y gwir Huw mae hi wedi bod yn reit dawel yma hyd yn hyn, diolch i Dduw! Ond disgwyl di, rŵan dy fod ti'n ôl mi fydd 'na rwbath yn siŵr o ddigwydd!'

Gan ei bod hi'n ddistaw yn y swyddfa'r diwrnod hwnnw awgrymodd y Rhingyll y gallwn fynd adref a dyna a wnes, er mwyn treulio ychydig mwy o amser yng nghwmni Glenys a'r bychan.

Drannoeth, a minnau prin newydd eistedd wrth fy nesg galwodd y Ditectif Arolygydd Owen fi i'w swyddfa.

'Yli, dwi wedi cael gwybod gan y Rhingyll Edwards yn Aberlleni bore 'ma fod tramp sy'n cael ei alw'n 'Sami Bo Bo' wedi cael ei daro'n farw ar y lôn fawr ryw filltir tu allan i Abernant. Mae'r amgylchiadau'n amheus iawn.'

Roedd swyddfa'r C.I.D yn gyfrifol am ddelio gydag unrhyw droseddau difrifol yn y trefi a'r pentrefi o amgylch Caermanog a gofynnodd y Ditectif Arolygydd i mi wneud ymchwiliadau i'r llofruddiaeth. Ar un ystyr roedd gennyf fantais gan fod Sami'n adnabyddus iawn i ni, blant a fagwyd yn yr ardal. Lawer tro pan fyddem yn gwneud rhyw ddrygioni byddai fy mam yn bygwth;

'Ylwch, mi fydd yn rhaid i mi gael Sami Bo Bo i fynd â chi o 'ma os na fihafiwch chi'ch hunain.'

Yr oedd hynny'n codi braw mawr arnom. Ella mai dyna sut y cafodd Sami ei adnabod fel 'Bo Bo'. Ond yn fwy na hynny roedd ei olwg yn ddigon i godi ofn arnom ni'r plant, er nad oedd o wedi gwneud dim drwg i neb. Weithiau byddai rhai yn ei herian a byddai Sami wedyn yn chwifio'i ffon gerdded tuag atynt ond chyffyrddodd o erioed yr un plentyn.

Roedd o wedi byw a chrwydro o gwmpas Abernant am oddeutu hanner cant o flynyddoedd. Arferai werthu almanaciau, nodwyddau dur a riliau edau. Byddai trigolion yr ardal yn aml yn fodlon llenwi ei biser bach â dŵr poeth i wneud te. Mae gennyf gof hefyd iddo bob amser, bron, wisgo hen het feddal, frown â chantel llydan iddi, côt laes oedd yn perthyn i ryw fyddin, gyda chortyn am ei ganol, ac esgidiau glaw a oedd yn debycach i ddau ridyll am ei draed. Roedd ei wallt cringoch yn tyfu fel twmpath eithin o dan ei het a'i locsyn yn cuddio hanner isaf ei wyneb. Cerddai'n sigledig iawn a'i draed yn camu allan braidd. Ambell dro byddai'n chwifio'i ffon o un ochr i'r llall ac yn chwibanu pan fyddai mewn tymer dda.

Wedi ffonio Glenys i ddweud y byddwn yn hwyr yn dod adref, soniais wrthi'n fras am Sami Bo Bo druan, oherwydd ei bod hithau'n ei adnabod. Cychwynnais ar fy nhaith i Aberlleni i weld y Rhingyll Edwards. Ar ôl cael gair byr gydag o, aethom yn syth i'r fan lle bu farw Sami. Eglurodd y Rhingyll ei fod yn eithaf siŵr fod Sami ar ei ffordd o Abernant pan drawyd ef gan gerbyd a'i daflu i'r ffos islaw. Roedd olion olwynion yn dal i'w gweld yn glir yn y gwellt am bellter o ddeg llath. Roedd y rhan honno o'r ffordd yn syth ac yn hollol dywyll adeg y ddamwain. Eglurodd y Rhingyll ymhellach fod 'yr arbenigwyr fforensig wedi bod yma'n tynnu lluniau ac wedi codi darnau o wydr *headlamp* a phlisg paent coch.'

'Ydach chi'n meddwl bod gyrrwr y car dan ddylanwad alcohol ac mai dyna pam na ddaru o stopio?'

'Gwaetha'r modd nac'dw. Mae rhywun yn rhywle wedi penderfynu cael gwared â'r hen dramp druan. Ond Duw a ŵyr pam.'

Eglurodd ymhellach fod corff Sami yn y corffdy yng Nghaermanog a bod y cwest wedi cael ei ohirio ar orchymyn y Crwner John Phillips.

Wrth graffu ar olion y teiars cliriodd y Rhingyll ei wddf, 'Wyddost ti Huw, mi roedd o fewn canllath i'r hen fwthyn acw lle fydda fo'n arfer cysgu pan gafodd ei daro.'

Roedd hyn wedi fy ngofidio'n fawr felly awgrymais wrtho, 'Awn ni draw rhag ofn fod yna rwbath o ddiddordeb i ni yno.'

Roedd y bwthyn ryw ugain llath o'r lôn fawr a'r unig fynediad i'r adeilad oedd ar hyd hen lôn drol. Am olwg. Roedd brigau'n tyfu o'r to a drain a mieri'n gorchuddio'r muriau. Roedd o'n lle rhy beryglus i rywun aros yno ond mae'n debyg ei fod fel plasty i Sami. Wedi'r cyfan, yr oedd yn lle i fedru ymochel rhag y gaeaf. Yn ôl y Rhingyll roedd Sami wedi cael caniatâd gan y perchennog, Isaac James, i gysgu yno ond ar ei fenter ei hun.

Er ein syndod daethom ar draws wats arddwrn aur a breichled merch, yn ogystal â chant o bapurau punnoedd wedi cael eu cuddio mewn hen dun bisgedi. Dywedodd y Rhingyll wrthyf i gymryd meddiant o'r nwyddau gan egluro, 'Mi ofynna i i Hughes yn Abernant gynnal ymchwiliad rhag ofn fod rhywun wedi colli'r nwyddau yma. Mae'n rhaid i ni drio ffeindio sut goblyn gafodd o afael ar y rhain.'

Cyn i mi adael y Rhingyll dywedodd fod PC Hughes yn Abernant eisoes wedi gwneud ymholiadau yng Ngwesty Nantglyn lle byddai Sami'n galw am beint weithiau, a chael gwybod i'r hen drempyn adael tua hanner awr wedi deg ar noson y ddamwain. Yn ôl y tafarnwr roedd y trempyn mewn hwyliau da.

Ar ôl i mi gyrraedd fy swyddfa gofynnais i Cyril wneud ymchwiliadau yn y modurdai rhag ofn fod rhywun wedi gwneud ymholiad i atgyweirio car ar ôl y ddamwain.

•

Roeddwn yn fy swyddfa fore trannoeth pan ganodd y ffôn ac y cefais gennad annisgwyl.

'Dwi isio gair efo Ditectif Sarjant Morgan.'

'Yn siarad. Be fedra i neud i chi?'

'Ylwch, fedra i ddim siarad ar y ffôn, fedrwch chi gwrdd â fi heno yn y lle parcio tu ôl i'r sinema?'

Â'm greddf yn fy ngyrru atebais yn ddi-oed, 'Medraf tad,' a dyma linell y ffôn yn mynd yn farw.

Felly 9 o'r gloch, yn unol â'm gair, roeddwn y tu ôl i'r sinema ac mewn dim clywais lais yn fy nghyfarch o gysgod drws y ddihangfa tân.

'Dwi ddim am ddangos fy hun i chi, ond ar ôl i mi glwad fod Sami wedi'i ladd mae'n rhaid i mi ddeud be sy gen i i'w ddeud . . . ro'n i yng Nghlwb y Legion tua mis yn ôl pan glywis i rywun yn siarad am Sami – yn deud ei fod o wedi prynu wats boced ganddo tra'n chwarae gêm o ddarts yn y Legion.'

'Ydach chi'n nabod y gŵr yma?' gofynnais.

'Dwi'n meddwl mai Glyn ydi'i enw o. Capten y tîm darts. 'Sgin i'm mwy i'w ddeud.'

Diolchais iddo am ei gymorth ond ni chefais ateb; yr oedd wedi hen gilio.

Yn fuan wedi'r cyfarfod hwnnw, gelwais yng Nghlwb y British Legion. Yno cefais air gyda'r stiward William Jones a chael enw a chyfeiriad capten y tîm darts, sef Glyn Jones, 26, Ffordd y Ffynnon, Caermanog. Ychwanegodd y stiward fod Glyn Jones yn gweithio yn un o'r ffatrïoedd ar gyrion y dref.

Ar ôl 6 o'r gloch y diwrnod hwnnw gelwais yng nghartref capten y tîm darts ac yn wir, roedd yn awyddus iawn i'm helpu gyda'r achos. I ddechrau, gofynnais, 'Oeddach chi'n ei nabod o'n dda?'

'Pwy oedd ddim yn nabod yr hen Sami? Cymeriad garw,' atebodd â mymryn o wên.

'Roeddwn i'n deall eich bod yn chwarae mewn twrnament darts yng Nghlwb y Legion Abernant yn ddiweddar. Faint yn ôl oedd hyn?'

''Rhoswch funud i mi gael edrych.'

Ar ôl cael cip yn ei ddyddiadur dywedodd, 'Nos Fawrth

Awst 14 oedd hi . . . mae gen i syniad be 'dach chi am ofyn nesa.'

'Welsoch chi Sami tra oeddach chi yno?'

'Do. Roedd o'n trio gwerthu wats boced i mi ac yn plagio pawb arall hefyd, yn mynnu mai wats ei dad oedd hi. Yn y diwedd mi rois i ugain punt yn ei law er mwyn cael gwared ohono. Roedd o'n werth hynna.'

'Ydi hi gynnoch chi rŵan?'

'Nac'di, mi werthis i hi am gan punt mewn siop yn y stryd fawr dipyn yn ôl. 'Sgin i'm byd i'w guddio w'chi.'

'Fedrwch chi ddisgrifio'r wats i mi?'

Eglurodd mai wats aur oedd hi a bod y llythrennau *'CLP'* wedi cael eu hysgythru ar y caead. Gwnes nodyn am y wats ac yng nghanol y distawrwydd ychwanegodd, 'Tydw i'm wedi deud y cyfan wrthoch chi. . . wythnos ar ôl i mi werthu'r wats daeth yna ddyn yma, Donald Pierce oedd ei enw, yn gofyn i mi lle oeddwn i wedi cael y wats. Mi eglurodd mai wats ei dad oedd hi a'i bod hi wedi mynd ar goll o dŷ ei fam. Yn Rhyd y Foel mae'n byw ac enw'i dad oedd Cliford Lloyd Pierce. Mae ei weddw, Megan, yn dal yn byw yn Nant y Glyn. Roedd hi'n naturiol i Donald Pierce ofyn i mi sut ddaeth y wats i 'nwylo felly mi ddwedis i'r stori wrtho fel dwi wedi'i hadrodd wrthoch chi. Ond ddudodd o'm gair wedyn, dim ond gadael ar frys a golwg 'di cynhyrfu arno.'

Diolchais i Glyn am y wybodaeth newydd. Yn fuan ar ôl ei adael, fe es adref ac roeddwn mor falch o weld Alun Wyn ar lin ei fam yn mwynhau ei botel. Yn yr un modd ag arfer gofynnodd Glenys am yr hyn y bûm yn ei wneud yn ystod y dydd, gan holi'n arbennig am Sami Bo Bo. Pan soniais am Donald Pierce dyma hi'n dweud:

'Dwi'n nabod o'n iawn. Dipyn o foi am y merchaid oeddwn i'n ei weld o. Ond mi aeth i yfed yn drwm yn ôl y sôn ar ôl iddo fo golli'i wraig ddwy flynedd yn ôl.'

'Fydda fo wedi nabod Sami felly?'

'O siŵr iawn. Cofia, mi fyddai Sami'n mynd i nifer o lefydd eraill fel y bydda fo'n dŵan i Ryd y Foel yn chwilio am fwyd. Cr'adur.'

Wrth fynd i'r gwely'r noson honno teimlwn fod yr ymchwiliad i lofruddiaeth Sami'n dechrau dwyn ffrwyth. Ond y person nesaf yr oedd angen imi'i gweld oedd Mrs Megan Pierce.

Drannoeth, ar ôl cael gair gyda'r Ditectif Arolygydd Owen, euthum i Abernant yn y gobaith y cawn ragor o wybodaeth. Wedi cyrraedd stad Nant y Glyn, cyflwynais fy hun i Mrs Pierce a chefais groeso i'r tŷ. Dynes eiddil o gorffolaeth oedd hi a'i gwisg yn dwt a glân. Ar ôl fy ngwahodd i'r ystafell fyw ac eistedd mewn cadair ledr gofynnodd;

'Felly be fedra i neud i chi Serjant? Dyma'r tro cynta i mi gael ymweliad gan rywun o'r heddlu.'

Dangosais y nwyddau a ganfuwyd yn lle roedd Sami'n aros cyn gofyn, 'Ydi'r rhain yn gyfarwydd i chi Mrs Pierce?'

Wrth iddi weld y wats a'r freichled aur sibrydodd, 'Brenin Mawr . . . dwi wedi bod yn chwilio am y rhain ers sbel. Mam annwyl roddodd y rhain i mi'n anrheg briodas . . . sut gawsoch chi afael arnyn nhw?'

'Ydach chi'n ymwybodol fod trempyn o'dd yn cael ei alw'n 'Sami Bo Bo' wedi ei ladd yn ddiweddar?'

Ni ddywedodd air, dim ond rhoi ei phen yn ei dwylo a dechrau crio'n dawel. Yn y man, cododd ei phen a dyma hi'n dweud, 'Pan welis i Sami'r tro cyntaf roedd gen i biti mawr drosto felly mi roddis i fwyd a chydig o bres iddo. Ond pan ffendis i fod pethau'n dechrau mynd ar goll, fel pres a gemwaith, mi wnes i ei holi amdanyn nhw. Aeth o'n flin iawn a 'mygwth i i beidio â meiddio deud gair wrth yr heddlu.'

'Ddaru chi sôn wrth eich mab am hyn?'

'Naddo. Wel, os oeddwn i'n rhoi bwyd i Sami pan fydda fo'n dŵad yma fydda 'na ddim trwbwl. Roedd hi'n haws gwneud hynny. Ond ryw fis yn ôl mi ddaeth Donald i 'ngweld i a deud ei fod o wedi dod ar draws wats boced ei dad mewn *pawn shop*. Pan glywis i hynny mi dorris i 'nghalon a, a deud y cyfan am Sami wrtho fo.'

Pwysleisiodd ei bod yn drist iawn o glywed fod Sami wedi'i ladd ond ni allai lai na theimlo ychydig o ryddhad o wybod na ddeuai'r ymwelydd yna i'w chartref eto. Ar ôl gadael Mrs Pierce es ar fy union i weld ei mab.

Pan gyrhaeddais Ryd y Foel, yr oedd Donald Pierce wrthi'n palu'r ardd gefn ac ar ôl fy nghyflwyno fy hun iddo aethom i mewn i'r tŷ.

'Mi welais i'ch mam y bore 'ma ac mae hi wedi dweud y cwbl wrtha i am Sami Bo Bo. Dwi wrthi'n gwneud ymholiadau i'w farwolaeth o ac isio gofyn tybed oes gynnoch chi ryw wybodaeth am y mater?'

'Mae'r diawl yn haeddu pob dim mae o wedi'i gael am be nath o i mam.'

A minnau wedi fy synnu braidd o glywed y fath ymateb euthum yn fy mlaen yn fwy petrus.

'Rydw i'n deall eich bod chi wedi canfod wats eich tad mewn *pawn shop*.'

'Do – dyna sut ffendis i fod y diawl Sami 'na wedi bod yn poeni mam.'

Roedd ei lais mor gadarn a'i wyneb mor sicr felly penderfynais fentro'n syth i weld a fyddai hynny'n ei daro oddi ar ei echel.

'Aethoch chi allan hefo'ch Land Rover rhwng unarddeg a hanner nos ar ddydd Llun, yr ail o Fedi?'

'Naddo, dwi'm yn meddwl.'

Erbyn hynny roedd Donald wedi dechrau simsanu ac yn gwneud ei orau i osgoi fy llygaid. Bu distawrwydd am ennyd ond ymhen dim cyfaddefodd, 'Tydi'm iws i mi wastraffu'ch amser nac'di? . . . fi laddodd o.' Aeth yn ei flaen i ddweud ei fod wedi dilyn Sami o'r dafarn ac wedi'i daro ar ochr y lôn, cyn ychwanegu, 'Ro'n i am ei ladd o . . . ar y pryd.'

Er iddo'n amlwg ddifaru'r hyn a wnaeth, rhaid oedd cau pen mwdwl yr ymchwiliad felly fe'i arestiais am y drosedd a gwnaeth yntau ddatganiad yn y stesion. Trefnwyd i'w Land Rover gael ei archwilio gan arbenigwyr fforensig a chyn Nadolig y flwyddyn honno, plediodd Donald Pierce yn euog yn Llys y Goron Caermanog i'r cyhuddiad o lofruddio Sami Bo Bo, ac fe'i carcharwyd am oes.

Pennod 14

Yn 1961 roeddwn yn dal i weithio'n galed yng Nghaermanog ac erbyn hynny roedd yna dditectifs newydd yn y swyddfa. Ond roedd Cyril, fy nghyfaill, yn dal i fod yno, felly roeddwn mewn cwmni da. Weithiau byddwn yn crybwyll wrtho; 'Pam na wnei di drio'r arholiad? Mi fysat ti'n gneud Sarjant da ac mi fasa hynny'n gneud dipyn o wahaniaeth i dy bensiwn.'

Ond yr un ateb a gawn bob tro, 'Na, 'sgin i 'mond rhyw ddwy i dair blynedd ar ôl yn y job wsti.'

Roedd gennyf feddwl y byd o Cyril, yn enwedig am ei fod yn dditectif cydwybodol. Fo oedd tad bedydd Alun Wyn. Hen lanc yn byw mewn tŷ teras y drws nesaf i swyddfa syrfëwyr tir oedd Cyril; capelwr i'r carn a blaenor pybyr Capel Saron.

Mae gennyf storfa o atgofion da amdano. Yn y boreau pan fyddai'n oer iawn yn y gaeaf byddai'n siŵr o fod yn llawn annwyd ond erbyn diwedd y dydd byddai wedi fflonsio drwyddo, a'r un sylw a ddywedai bob tro; 'Does 'na'm byd gwell na glasiad o *Beechams Powder* a joch o waith i glirio'r hen annwyd yma.'

Un bore braf ym mis Ebrill 1961 cyrhaeddais y stesion a chael fy ngalw'n syth i swyddfa'r Ditectif Arolygydd Owen. O fynd i mewn gwelais ŵr smart yn sefyll â'i gefn llydan at y pared. Y Ditectif Uwch-Arolygydd Emrys Bevan oedd y gŵr hwnnw. Gallwn deimlo'n syth fod yna awyrgylch chwithig yn yr ystafell ac mewn ychydig trodd Owen ataf.

'Mae arna i ofn fod gen i newydd drwg i ti Huw. Cafodd Cyril ei anafu neithiwr ac mae o yn yr ysbyty'n bur symol. Dwi am i ti gael cymaint o dditectifs ag y gelli di i ymchwilio'r digwyddiad.'

Eglurodd ymhellach fod Cyril yn cerdded ar hyd llwybr cyhoeddus, ar ei ffordd adref o'r Clwb Criced tuag 11 o'r gloch, pan ymosodwyd arno. Roedd yna blismyn eisoes wedi dechrau archwilio'r llwybr ac roedd arbenigwyr fforensig ar eu ffordd yno. Nid oedd y swyddogion yn hollol sicr o'r amgylchiadau na faint o niwed roedd Cyril wedi'i gael felly gofynnwyd i mi fynd ar fy union i'r ysbyty.

Roedd fy ffrind, Dr Eirlys Jones, yn dal i fod yn yr Adran Ddamweiniau, a hi oedd yn gweithio pan ddaethpwyd â Cyril yno.

'Yn ôl pob golwg, mae o wedi cael ei drywanu hefo rhywbeth miniog iawn, fath â dart, ac mae hynny wedi creu twll yn ei iau. Mae o 'di colli cryn dipyn o waed ond oni bai iddo fod yn gwisgo'r siaced ledr 'na ar y pryd mae'n debyg y basa'i gyflwr o'n waeth. Dwi'm yn amau y bydd o yma am dipyn mwy o amser eto . . .' Oedodd am eiliad cyn dweud, 'Ella na fydd o fyth yn ddigon da i weithio eto.'

Diolchais i Eirlys am y wybodaeth a rhoddodd ganiatâd i mi weld Cyril am ychydig funudau. Roedd yn gorffwys ei ben ar dair clustog pan es ato. Yr oedd yn falch o'm gweld ond oherwydd cyn lleied o amser a roddwyd i mi i'w holi yr oedd hi'n bwysig cael cymaint o fanylion ag oedd modd.

'A deud y gwir Huw,' dechreuodd yn gryg, 'y cwbl fedra i ddeud ydi o'n i'n cerdded ar hyd y llwybr o'r Clwb Criced . . . do'dd 'ru'n o'r lampau'n gweithio felly o'n i'n cerddad yn y twyllwch am dipyn . . . dwi'n cofio teimlo rhyw boen erchyll yn fy nghorff . . . a dwrn i 'mhen . . . aeth pob dim yn ddu . . . wedyn o'n i'n fan'ma.'

Ni allai ddweud rhagor felly, ar ôl cymryd gofal o'i ddillad a oedd yn waed i gyd, a dweud wrtho y byddwn yn galw eto ymhen ychydig ddyddiau, gadewais yr ysbyty.

Ar fy ffordd i'r stesion penderfynais ymweld â'r lle yr ymosodwyd ar Cyril. Roedd y PC Emyr Roberts yno'n dal i gadw gofal o'r llwybr tra oedd yr arbenigwyr fforensig yn cynnal eu harchwiliad. O gymryd golwg sydyn ar y llwybr roedd yn amlwg fod yr ymosodwr wedi cymryd mantais o'r ffaith fod y llwybr mewn man anghysbell, a dim un lamp yn gweithio. Sylwais hefyd fod yna goeden yn gorwedd ar lawr. Ychydig wythnosau ynghynt roedd y Cyngor wedi plannu coed yno, felly roedd hi'n bosib fod y goeden wedi cwympo o ganlyniad i rywun yn syrthio'n ei herbyn. Yn anffodus, nid oedd yr arbenigwyr fforensig wedi darganfod dim o bwys ond roeddwn yn siŵr fod arwyddocâd i'r goeden ar y llawr.

Pan gyrhaeddais y stesion cefais air gyda'r Ditectif Arolygydd Owen a dywedais y cwbl wrtho am fy ymweliad â Cyril. Roedd y Prif Gwnstabl yn awyddus i bawb wneud eu gorau glas i ddal yr ymosodwr cyn iddo wneud rhywbeth tebyg, efallai i aelod arall o'r heddlu.

Felly aeth y Ditectif Rhingyll John Parry, a minnau ati i edrych drwy ddegau o droseddau a phroffiliau'r troseddwyr yr oedd Cyril wedi delio â nhw dros y blynyddoedd tra'n gwasanaethu yng Nghaermanog. Er gwaethaf ein hymdrechion, ni ddaeth neb a fyddai'n werth eu holi i'n sylw.

Y noson honno, a ninnau wedi'n digalonni braidd, aethom i'r Clwb Criced am beint neu ddau i foddi ein gofidiau. Roedd hi tua hanner nos pan gyrhaeddais adref ac euthum i lofft

Alun Wyn i'w wylio'n cysgu. Roeddwn yn pryderu nad oeddwn wedi treulio llawer o amser yn ei gwmni'n ddiweddar. Yn ôl Glenys yr oedd wrth ei fodd yn yr Ysgol Feithrin ac ar wal y gegin, yn brawf o'i fwynhad, yr oedd amryw o luniau: yn eu plith, un ohonof i mewn siwt plismon yn rhedeg ar ôl rhyw ddihiryn.

Yn ystod y dyddiau canlynol roedd fy holl sylw wedi'i neilltuo i geisio dal ymosodwr Cyril. Es am yr eildro i'w weld yn yr ysbyty rhag ofn fod ganddo unrhyw wybodaeth arall i mi. Yr oedd wedi gwella ond roedd yn dal i gwyno ei fod yn cael poenau yn ei ochr ac ni fedrai sefyll ar ei draed yn hir. Roedd ei wyneb yn llwyd iawn a phan ddechreuodd siarad, sylwais fod ei lais wedi cloffi ymhellach ac wedi mynd braidd yn anneglur.

''Sgin ti rwbath mwy i'w ddeud am y digwyddiad, neu wyt ti'n amau rhywun?'

'Huw . . . 'sgin i ddim . . . dim clem.'

Gwelais, a theimlais, nad hwnnw oedd y Cyril yr oeddwn i'n ei adnabod: Yr un arferai fod mor sicr ac awdurdodol bellach mewn gwendid mawr. Nid oedd yr ymchwiliad yn dwyn ffrwyth a theimlwn mai'r unig obaith o ddal yr ymosodwr oedd i un o'm hysbyswyr gysylltu â mi, ond roedd y tebygolrwydd y digwyddai hynny'n wan iawn gan fod peth amser wedi mynd heibio ers i mi glywed ganddynt.

Yn ystod yr wythnosau canlynol bu'r ditectifs yn gweithio'n galed a byddwn i'n galw i weld Cyril yn yr ysbyty'n gyson. Yr oedd yn dal i gwyno na allai gerdded llawer heb gael poenau difrifol yn ei ochr ond roedd yn benderfynol o fod yn annibynnol unwaith eto.

Mae'n rhaid fod yna angel yn gofalu amdanaf yn rhywle oherwydd un bore roedd yna nodyn wedi'i adael ar fy nesg:

Siôn Cati wants to see you urgently.
10 p.m. tomorrow at the usual place.
Signed - Miss Evans (telephonist)

P.S. Is this a joke Sarge?

Yn ystod y bore hwnnw soniais wrth y Ditectif Arolygydd Owen fod un o'm hysbyswyr wedi cysylltu a'r ateb a gefais oedd: 'Da iawn! Gei di weld lle neith hyn d'arwain di.'

Tua 10 o'r gloch y noson honno wrth sefyll ar Bont Manog, clywais lais cyfarwydd yn fy nghyfarch o gyfeiriad yr afon.

'Helo Huw, 'stalwm . . . sori am beidio â bod mewn cysylltiad; dwi 'di bod yn reit wael. Y diciáu. Ond dwi'n dipyn gwell rŵan . . . roedd hi'n ddrwg iawn gen i glwed am Cyril Owen.'

'Ia . . . Wel, mae'n ddrwg gen i glwad amdanoch chitha . . . 'sgynnoch chi ryw wybodaeth i mi felly?'

'Oes, o fath. Mae 'na ffrind i mi'n gweithio fel nyrs yn Hafod Wen. Wyt ti'n gyfarwydd efo'r lle?'

'Y lle i bobl ifanc sydd wedi colli eu rhieni.'

'Ia, dyna chdi. Wel, mae 'na hogan ifanc o'r enw Sally Peters ella fysa o ddiddordeb i'r ymchwiliad yn byw yno. O be dwi'n dallt, mi farwodd ei thad hi'n o sydyn tra oedd o'n y carchar, ryw dair blynedd yn ôl. Wel yn ddiweddar 'ma, mae hi wedi bod yn sôn wrth ambell un yn Hafod Wen ei bod hi 'di gneud iawn am i'w thad ga'l ei roi'n y carchar.'

'Campus. Dyna wybodaeth dda, Siôn. Diolch ti. Mi ofala i y cei di dy wobrwyo am hyn.' A dyna fu'r diwedd ar ein cyfarfod.

Roeddwn yn teimlo fod yr olwynion bellach yn troi'n fwy ffafriol a thrannoeth gofynnais i Mrs Elsie Jones, Metron Hafod Wen, alw yn y stesion cyn diwedd y dydd. Tuag 8 o'r gloch y noson honno roedd Elsie Jones yn fy nisgwyl yn y cyntedd a golwg boenus ar ei hwyneb. Ar ôl fy nghyflwyno fy hun a sôn am yr ymchwiliad wrthi, cafodd gryn sioc pan grybwyllais enw Sally Peters.

Yn ôl y Fetron roedd teulu Sally'n hanu o Fanceinion, ac ar ôl iddi golli ei mam a'i thad, cafodd ei rhoi yng ngofal Hafod Wen. Gofynnais iddi wneud ymholiadau i symudiadau Sally ar y noson y trywanwyd Cyril. Roedd Mrs Jones yn awyddus i'm helpu i ddatrys y mater ac roedd hi'n sicr fod Sally wedi mynd i'r sinema'r noson honno, a'i bod wedi cyrraedd adref tua 11:30. Ychwanegodd fod yna bwt yn y llyfr cofnodi'n egluro pam ei bod yn hwyr gan Miss Fiddler, yr ofalwraig.

'Went with a friend for a Chinese after the cinema.'

Gyda'r wybodaeth am Sally Peters yr oedd yn rhaid i mi weld Cyril eto yn yr ysbyty. Ac yn wir, fe gofiai yn glir delio hefo Jonathan Peters am ymosod yn ddifrifol ar fachgen ifanc yng Nghlwb Llafur y dref ryw bedair blynedd yn ôl. Roedd yn ymosodiad cïaidd ac roedd y gosb o ddwy flynedd o garchar yn rhy hael yn ôl Cyril. Cofiodd hefyd i'r ferch, Sally, boeri arno wrth iddo gerdded o Lys y Goron gan ddweud, 'I'll get you for this one day.' Ond bryd hynny, ni chymerodd Cyril lawer o sylw o'r bygythiad gan mai un ar bymtheg yn unig oedd y ferch.

Er bod Sally Peters newydd droi'n 18 oed cefais ganiatâd

gan y Fetron i'w holi yn ei swyddfa yng ngŵydd Elsie Jones a'r blismones Jane Williams.

'A detective was injured on a public footpath about three weeks ago, I believe you know something about it.'

Er mawr syndod i mi dechreuodd Sally grio ac yng nghanol ei dagrau sibrydodd, 'Yes. It was me. I've been worried sick since. I hated him after my dad got sent down . . . and even more when Dad died.'

'With what did you attack him?'

'I had planned to do it that day, I knew what time he'd be coming out of the Cricket Club. Same time, every week. So I picked up a dart in the playing room and followed him. When he got on the footpath I jumped him from behind and stuck the dart into him. Then I ran away.'

'What did you do with the dart?'

'I threw it. I can't remember where.'

Wedi dipyn mwy o holi fe wnaeth ddatganiad i'r blismones Williams a chafodd ei harestio am y drosedd o geisio lladd Cyril Owen. Cyn gadael y cartref cefais y dillad yr oedd hi'n eu gwisgo ar noson y digwyddiad.

I dorri'r stori yma yn ei blas, ymddangosodd Sally Peters o flaen Llys y Goron ym mis Gorffennaf 1961, ac fe'i dedfrydwyd i garchar am dair blynedd. Rwy'n dal i gredu fod y Barnwr yn teimlo drosti'r dydd hwnnw ac er gwaethaf yr hyn a wnaeth, roeddwn innau hefyd. Dynes ifanc wedi colli ei ffordd, dyna'r cyfan oedd hi.

Ar ôl tri mis hir yn yr ysbyty cafodd Cyril fynd adref ond yr oedd yn dal i fod mewn cadair olwyn. Er gwaethaf ei agwedd bositif, yn ystod yr wythnosau canlynol nid oedd yn gwella. Nid oedd ganddo ddewis chwaith ond ymddeol yn fuan o'r heddlu ac yntau bron wedi cwblhau 30 mlynedd o wasanaeth.

Cafodd barti gwerth chweil yn y Clwb Criced yn llymeitian a hel straeon am yr hen ddyddiau. Yn sŵn y piano buom yn canu'r hen ganeuon hyd berfeddion ond ar ddiwedd y noson daeth dagrau i'm llygaid wrth i mi ffarwelio â'm cyfaill, a'm hathro. Roedd hi'n anodd ei weld yn gaeth i'r gadair olwyn ac yntau fel arfer mor sionc a llawn bywyd.

Ar ôl misoedd o gystudd a mwy o lawdriniaethau nid oedd gwella i fod a bu farw Cyril yn ei gwsg. Ar ddiwrnod anghyffredin o heulog yng nghanol mis Tachwedd cafodd Cyril Owen ei gladdu ym mynwent Capel Salem, Abernant. Dyna oedd colled i'r ardal, a cholled fawr i mi a'm teulu.

Pennod 15

Dyddiad sydd wedi'i serio ar fy nghof yw'r 16eg o Dachwedd 1961. Y diwrnod y cefais yr alwad ffôn gan Ifan ynglŷn â fy nhad. Yr oedd wedi mynd â'r ci am dro, yn union fel y gwnaethai bob gyda'r nos arall, ond daeth y ci'n ôl hebddo. Ar ôl mynd allan a chrwydro'r caeau daeth Ifan o hyd i 'nhad yn gorwedd ar ei gefn wrth ymyl y gamfa. Galwyd y meddyg a'r ambiwlans ond nid oedd dim y gallent ei wneud. Yr oedd wedi marw yn y cae, y lle yr oedd ar ei fwyaf bodlon.

Cefais wythnos dosturiol o'r gwaith i aros yn Allt Wen a bod yn gwmni i'm teulu wrth inni geisio dod i delerau efo colli gŵr a thad mor annwyl. Roedd Glenys ac Alun wedi mynd i aros hefo'i rhieni yn Rhyd y Foel felly nid oedd angen imi boeni'n ormodol amdanynt.

Pan gyrhaeddais yr Allt Wen cefais sioc ar yr ochr orau o weld Ellis, brawd fy nhad o Ganada, yn llenwi'r gadair freichiau wrth y lle tân. Nid oeddwn ond tua 10 oed pan welais ef ddiwethaf ond yr oeddwn mor falch o'i weld yno gyda'r teulu.

'Huw bach,' meddai ag acen ddieithr yn siapio'i eiriau. 'Ti wedi mynd yn ddyn mawr fel dy dad.'

'Mae'n dda gen inna'ch gweld chitha . . . ond am yr amgylchiada.'

Ymfudodd fy ewythr i Ganada pan oedd yn ugain oed ac ar

ôl gweithio ar nifer o ffermydd a ranshis casglodd ddigon o bres i brynu 500 acer o dir ac adeiladu tŷ iddo fo a'i wraig, Betty. Hwn oedd y tro cyntaf iddo fod yn ôl yng Nghymru ers blynyddoedd, ond fe fu'n llythyru'n gyson gyda 'nhad. Roedd y ddau'n gyfeillion mawr ac ni wnaeth y pellter daearyddol amharu dim ar y cyfeillgarwch. Felly pan gafodd y newydd gan Ifan dros y ffôn roedd yr ergyd yn un fawr i Ellis.

Yn ystod yr wythnos cyn yr angladd, galwodd ambell weinidog a nifer o ffrindiau i gydymdeimlo. Er ei bod yn dipyn o boen cael rhywun yn galw bob pum munud, yr oedd hynny'n gysur mawr i mam. A chyda'r nos, byddem yn eistedd o gylch y tân yn y gegin fawr, yn hel straeon am yr amser a fu. Un da oedd fy ewythr Ellis am adrodd stori. Un noson, adroddodd hanesyn a gododd gwên ddieithr i'n hwynebau. Soniodd am y tro yr aeth fy nhad ac yntau i Ffair Aeaf Abernant ac fel y dringodd fy nhad i'r sgwâr focsio a dechrau dawnsio o gylch y paffiwr. Yn sydyn iawn fe'i trawyd o dan ei ên a chwympodd fy nhad fel sach o datws newydd. Ni chododd ar ôl hynny, dim ond chwerthin hyd at ddagrau ar y llawr. Yr hyn a gododd y wên oedd bod y paffiwr wedi teimlo piti dros fy nhad ac wedi rhoi £20 yn ei law!

Yn ôl arfer yr Allt Wen gorweddai fy nhad yn ei siwt orau yn yr arch heb y caead yn y parlwr mawr am ychydig ddyddiau. Yr oedd croeso i rywun ei weld i dalu parch iddo pe dymunent.

Tuag 1 o'r gloch ar ddydd Gwener y 24ain o Dachwedd, a'r haul yn tywynnu'n wan, teithiodd fy nhad am y tro olaf i Gapel Salem. Ei ddymuniad, yn ôl Ifan, oedd iddo gael ei gludo i'r fynwent yn y drol ac i bawb ddilyn y tu ôl iddo, ac felly y bu. Cafwyd gwasanaeth gwylaidd dan arweiniad y Parch. Owen

Williams. Siaradodd Evan Jones, y blaenor hynaf yn Salem, yn deimladwy gan ddatgan i 'nhad farw ym mri ei oes. Yr oedd wedi treulio sawl orig ddifyr yn ei gwmni ac ni chlywodd erioed sylw o enau fy nhad a fuasai'n codi gwrid i ruddiau neb.

Wedi'r angladd aeth fy ewythr a minnau i Ryd y Foel a chafodd groeso mawr yng nghwmni'r teulu. Roedd o wedi dotio at Alun Wyn ac yn tynnu'n dda iawn efo Tom, tad Glenys. Yr hyn sy'n aros yn glir yn y cof yw fel y rhoddodd anrheg fach i Alun Wyn; yn yr union yr un modd ag y gwnaeth fy nhad, drwy roi sofren aur iddo. Bu'n sgwrsio am beth amser hefo Glenys hefyd, yr oedd ei acen yn ei difyrru'n arw.

Arhosodd fy ewythr am ychydig wythnosau ond buan y daeth yn bryd iddo ddychwelyd gartref. Roedd ganddo fferm yn ei ddisgwyl wedi'r cyfan.

Rai wythnosau'n ddiweddarach, ar fore oer ym mis Rhagfyr, ymwelais â'r fynwent i weld y garreg fedd wedi'i gosod ac i sylwi'n arbennig ar y pennill yr oedd mam wedi dewis ei roi arni:

> Mi gollais gyfaill hynaws,
> Mwyn gyfaill bore oes,
> Rwyf heddiw'n brudd fy meddwl
> oherwydd y fath loes.

Ar ôl bod yn y fynwent, gelwais yn yr Allt Wen i weld sut oedd fy mam yn cadw oherwydd roedd Ifan wedi bod ar y ffôn ddiwrnod ynghynt yn dweud ei bod hi wedi dechrau mynd braidd yn gymysglyd. Sawl tro y byddai'n gofyn pa mor hir fyddai dad o'r tŷ eto cyn cofio, yn y man, 'Mae o yn y fynwant . . . tydi.'

Eglurodd Ifan ei fod wedi gweld newid mawr ynddi ers yr angladd. Roedd yntau'n dechrau teimlo baich y sefyllfa gan ei bod yn rhaid iddo alw yn y tŷ'n weddol aml yn ystod y dydd i weld sut hwyliau oedd ar mam yn ogystal â cheisio dal i fyny gyda'r fferm. Roedd o'n sicr yn gwerthfawrogi'r gwas y dyddiau hynny.

Roeddwn innau o'r un farn ag Ifan ynglŷn â mam. Fel rheol byddai'n gofyn sut oedd Glenys ac Alun Wyn yn cadw ond y tro hwnnw ar ôl bod yn y fynwent ni chlywais grybwyll eu henwau tra oeddwn yno. Ond wedi'r cyfan, roedd hi bron yn 84 oed ac felly awgrymais wrth Ifan efallai y byddai o fantais iddi hi, ac iddo yntau, gael gofalwraig am ryw bedair awr bob dydd yn y tŷ. Wedi dod i arfer â'r syniad cytunodd yntau gan addo y gwnâi ymholiadau gyda'r Gwasanaethau Cymdeithasol.

Er ei chyflwr, byddai mam yn rhoi croeso twymgalon i mi bob tro y galwn yno, ac ar adegau siaradai'n synhwyrol ac yn ffraeth iawn, yn union fel y gwnâi pan oeddwn i'n blentyn. Byddai hynny'n codi fy nghalon dipyn a byddwn yn anghofio, am funud fach, y cymylau oedd yn casglu'n araf y tu ôl i'w llygaid.

Pennod 16

Hyd at ddiwedd 1961 yr oedd pethau'n ddigon distaw yn Swyddfa'r C.I.D a chefais amser dedwydd iawn dros y Nadolig gyda rhieni Glenys yn Rhyd y Foel. Roedd Alun erbyn hynny'n tynnu at dair oed ac yn mwynhau ei hun hefo'i daid a'i nain ar y fferm. Roedd o wrth ei fodd yn cael marchogaeth y merlod ifanc ar hyd y caeau gyda Glenys wrth ei ochr, a byddai'n dilyn ei daid i bob man. Yn aml iawn mi fyddai'n sefyll yn nrws y beudy i wylio'i daid yn godro a byddai yntau'n gweiddi,

'Agor dy geg was, i ti gael joch o lefrith,' cyn troi teth y fuwch a'i gwasgu i'w gyfeiriad.

Ar ddiwrnod Nadolig coginiodd mam Glenys ŵydd a phwdin cartref i ni a chawsom brynhawn gwerth chweil wrth i Glenys roi tôn ar yr hen biano a ninnau ganu. Cyn diwedd y dydd galwom yn yr Allt Wen a chawsom fymryn o de yng nghwmni mam ac Ifan.

Y diwrnod hwnnw cefais wybod fod yna ofalwraig wedi dechrau galw'n ddyddiol a bod mam yn llawer hapusach o gael cwmni yn ystod y dydd. Dywedodd Ifan ei fod yntau'n teimlo'n hapusach yn medru bwrw ymlaen hefo'i waith heb gymaint o bryder.

Yn ystod yr wythnos gyntaf yn ôl yn y gwaith ym mis Ionawr 1963 roedd ditectif newydd wedi dechrau, un i gymryd yr awenau'n barhaol ar ôl Cyril, sef gŵr ifanc 24 oed o'r enw

Dafydd Edwards. Bu'n plismona strydoedd Caermanog ers tair blynedd ac roeddwn wedi clywed gan ambell un ei fod yn un arbennig am ddal lladron; dyna oedd i gyfri am ei ddyrchafiad ac yntau mor ifanc.

'Wel, Edwards,' dechreuais, 'rydach chi'n eistedd wrth ddesg hen gyfaill i mi ac os wnewch chi'ch gwaith gystal ag y gwnaeth o, ewch chi ddim o le o gwbl.'

'Mi wna i 'ngora Sarj' oedd yr ateb, a phrofodd ei hun i fod yn barod iawn ei gymwynas.

Roeddwn ar droi am adref tua 6 o'r gloch ar ôl diwrnod distaw pan ddaeth gŵr i'r stesion â'i wynt yn ei ddwrn.

'Ma 'na rywun 'di dwyn fy mhres!'

Yn fy swyddfa adroddodd y gŵr ei stori. Yr oedd yn gweithio i gwmni *Ace Taxis,* a oedd wedi'i leoli yn Stryd Rosehill, ac wedi'i alw i nôl cwsmer o'r tu allan i'r *Regal Cinema* tua phump o'r gloch. Ar ôl cyrraedd yno gwelodd y llanc yn aros amdano ar ochr y palmant. Neidiodd y llanc i gefn y tacsi a gorchymyn, 'Abernant – the Square.' Ar ôl teithio rhyw filltir a hanner teimlodd y gyrrwr rywbeth oer y tu ôl i'w ben;

'Stop here, give me all your cash or I'll blow yer brains out, alright?'

'O'dd gen i gymaint o ofn mi rois i'r pres iddo'n syth ac mi redodd o i lawr y lôn,' cyfaddefodd yn dawel gan edrych ar ei draed.

'Tua faint roddoch chi?'

'Siŵr o fod ryw ddau gan punt.'

'Fedrwch chi ddisgrifio'r llanc?'

'O'dd o'n gwisgo anorac tywyll . . . du ella . . . tua 5.8' . . . Dwi'n siŵr mai acen Lerpwl oedd ganddo.'

'Fasach chi'n ei nabod o eto tasach chi'n ei weld o?'

'Ella, dwn i'm.'

A dyna derfyn yr holi. Es yn syth i fyny'r grisiau a gofyn i PC Glyn Jones drosglwyddo'r wybodaeth am y lladrad i'r plismyn ar y stryd er mwyn iddynt fod yn ymwybodol fod lleidr wrth ei waith. Ar fy ffordd adref es innau i wneud ychydig o ymholiadau yn nhafarnau a chlybiau nos y dref ond ofer fu'r ymdrech.

Drannoeth aeth y ditectifs ati i holi pobl y dref am y digwyddiad ac es innau ati i chwilio drwy gofnodion degau o droseddau nid annhebyg a gofnodwyd yn ystod y tair blynedd flaenorol. Daeth tri pherson yn arbennig i hawlio'n sylw. Tri a fuasai'n ddigon profiadol o gyflawni'r fath drosedd; felly yr oedd yn rhaid eu holi.

Enw: Selwyn Meurig Jones (20 oed).
Cyfeiriad: 21, Stad y Manog, Caermanog.
Euogfarnau: Ymosod a lladrata o orsaf petrol.

Enw: Eifion Evans (27 oed).
Cyfeiriad: 12, Stad y Wylan, Caermanog.
Euogfarnau: Ymosod gyda'r bwriad o ladrata.

Enw: Terrence Williams (25 oed).
Cyfeiriad: 18, Stad y Manog, Caermanog.
Euogfarnau: Dwyn bagiau gwragedd mewn oed.

Y prynhawn hwnnw aeth Dafydd Edwards, y ditectif newydd, a minnau i ymweld â'r cyntaf ar y rhestr. Roedd Selwyn Jones yn byw gyda'i rieni ac yn ddi-waith. Pan soniais am y lladrad atebodd yn ddi-oed; 'Do, dwi 'di cl'wad ond sgin i'm byd i neud efo fo.'

'Fedrwch chi ddeud lle oeddach chi rhwng pump a chwech o'r gloch nos Wener y 6ed o Ionawr?'

'Dim problam Sarj. O'n i yn y lle dentist yn cael ffiling,' ac wrth ddweud hynny cododd i nôl amlen o boced ei gôt yn dangos y dyddiad a'r amser y cawsai'r driniaeth. Wrth wneud hyn ychwanegodd ei dad;

'*Give a dog a bad name* de. Dwi'n trio 'ngora i gadw'r hogyn 'ma allan o drwbwl Sarj a 'dach chi yma'n ei hambygio fo. Ma' 'di callio rŵan 'chi. 'Nenwedig ar ôl y stint 'na'n clinc.'

Siwrne seithug oedd honno ond er mwyn gwneud yn hollol siŵr gofynnais i Dafydd ymweld â'r deintydd i gadarnhau stori Selwyn. Cafodd y ddau arall ar fy rhestr eu holi gan y Ditectif Rhingyll John Parry, ond yr oedd yntau wedi'i argyhoeddi gan eu straeon hwythau.

Wrth i'r ymchwiliad ddwysáu, un noson tuag 11 o'r gloch, daeth galwad i'r pencadlys gan ferch yn gweithio mewn garej betrol ar y ffordd allan o'r dref yn dweud fod yna lanc ifanc newydd ddwyn oddi wrthi. Yn ôl yr heddwas a gymerodd y neges, roedd y llanc tua 25 oed, yn gwisgo sbectol haul a chap, ac roedd o wedi bygwth y ferch gyda dryll pan oedd hi ar fin cloi. Roeddwn i a Dafydd yng nghar y C.I.D yn y stryd fawr pan glywsom yr hanes felly aethom ati i chwilio'r ardal o amgylch y garej, rhag ofn y byddai golwg ohono.

Ar ôl chwilio am ymron i awr ni welsom neb oedd yn cyfateb i'r disgrifiad felly aethom i'r garej ei hun. Erbyn cyrraedd, roedd un o geir yr heddlu yno'n barod a dau heddwas yn holi'r ferch. Gwraig 28 oed oedd Mair Lewis. Bu'n gweithio yn y garej ers dwy flynedd ac nid oedd erioed wedi profi'r fath beth o'r blaen. Er ei bod wedi'i chyffroi llwyddodd i adrodd yr hyn ddigwyddodd iddi,

'Jyst cyn 11 o'r gloch bob nos, ond am nos Sul, mi fydda i'n rhoi'r pres i gyd yn y sêff yn yr offis cyn mynd adra. Mi fydda i'n cloi'r prif ddrws tua 10 o'r gloch a rhwng hynny ac 11 mi fydd y cwsmeriaid yn talu am eu petrol a ballu drwy'r ffenast fach 'na. Pan o'n i am gloi'r ffenast mi ddoth y dyn 'ma o rwla, gafa'l yn fy llaw i a rhoi gwn yn erbyn y gwydr . . . mi ddudodd taswn i'm yn rhoi'r holl bres yn y til iddo y bysa fo'n tynnu'r trigar. O'dd gen i gymaint o ofn mi 'stynnish i'r cwbl lot iddo fo.'

Gofynnais iddi a fedrai ddisgrifio'r llanc?

'Roedd o'n gwisgo sbectols haul a chap du am ei ben. Gwynab go fain gynno fo, dwi'n siŵr o hynny . . . ac o'dd o'n gwisgo anorac las.'

'Sut oedd o'n siarad?'

'Saesneg siaradodd o . . . ac o'dd gynno fo acen hefyd . . . Lerpwl dwi'n meddwl.'

Yn ôl Miss Lewis roedd tua £400 yn y bag plastig a roddodd hi i'r llanc. Gofynnais i'r blismones oedd yn cysuro'r ferch i gymryd datganiad llawn ganddi maes o law ac aeth Dafydd a minnau'n ôl am y stesion.

Drannoeth, bûm yn trafod gyda'r Ditectif Arolygydd Owen ynglŷn â'r camau nesaf i geisio dal y lleidr.

'Mae'r llanc yma'n reit gyfrwys a dwi'm yn meddwl y gneith o stopio. Mae o'n amlwg yn gwbod ei ffordd o gwmpas y dre 'ma ac yn dewis targeda hawdd; allan o'r dref, amser cau ac ati. Felly dwi am i chi batrolio gyda'r nos am y diwrnoda nesa 'ma. Cadwch lygad ar y siopa bach, a gwyliwch unrhyw lafna ifanc fydd ar y strydoedd rhwng 9 a hanner nos yn ofalus. Pob lwc i chi.'

Roedd hi'n hanfodol i ni ddal y llanc cyn i rywun gael ei niweidio o ddifri, yn enwedig gan fod y Prif Gwnstabl ei hun wedi cymryd diddordeb yn y digwyddiadau.

Yn ystod y cyfnod hwn ychydig iawn a welwn o'm teulu. Gwaith a gwely'n unig oedd hi. Ond gwyddwn pan ddaliwn y llanc y cawn dreulio mwy o amser gartref.

Rai dyddiau'n ddiweddarach cafodd swyddfa'r heddlu, yn ogystal â'r plismyn ar y stryd, radio-gyfathrebu er mwyn gallu cysylltu â'i gilydd unrhyw bryd. Yr oeddwn i, yn wahanol i ambell un, wedi cymryd at y radio yn syth gan ei bod yn ffordd lawer mwy hwylus o gyfathrebu na gorfod brysio i giosg ffôn a sefyllian am sbel yn disgwyl am alwad efallai na fyddai'n dod.

Tua 10 o'r gloch un noson, a minnau'n mwynhau bagiad o sglodion ar fy mhen fy hun wrth gadw llygad ar siop fach yn un o strydoedd culion y dref, gwelais lanc yn cerdded i fyny ac i lawr y stryd gan lygadu siop. Meddyliais yn gyntaf efallai ei fod yn disgwyl am rywun i ddod o'r siop ond ar amrantiad diflannodd y llanc o'm golwg. Roeddwn bellach yn sicr fod y llanc ar berwyl drwg. Heb oedi rhagor gelwais ar dri ditectif drwy'r radio i ymuno â mi ger y siop fach ac ar ôl iddynt gyrraedd soniais am fy amheuon ynghylch y llanc. Yn anffodus ni ddychwelodd y llanc ond penderfynwyd aros am ychydig rhag ofn.

Ychydig cyn 10.30 o'r gloch, cyn amser cau'r siop, daeth y perchennog, Ivor Rhys, ohoni a'i chloi am y noson. Yr oedd wedi clywed am y lladrata a fu ac wedi penderfynu cau'n gynt. Hen dro felly.

Fodd bynnag, drannoeth roedd y Ditectif Arolygydd Owen

yn awyddus i ni gadw golwg ar y siop fach eto a thua 10 o'r gloch y noson honno roeddwn i a thri ditectif arall yn llechu'r ochr arall i'r lôn. Tua 10:25 gwelsom lanc ifanc yn gwisgo cap du, sbectol haul ac anorac tywyll yn cerdded i gyfeiriad y siop. Edrychodd o'i gwmpas unwaith eto cyn mynd i mewn. Ar hynny aeth dau o'r ditectifs i un ochr y siop ac es i a Dafydd i'r ochr arall i ddisgwyl a bod yn barod i'w ddal.

Clywsom weiddi a sŵn silffoedd yn cael eu troi ac yna distawrwydd llwyr. Yn sydyn, camodd y llanc o'r siop gyda bag yn ei law. Ar hynny, rhuthrodd y pedwar ohonom ar ei ôl a'i ddal. Wrth ei chwilio cawsom afael ar y llawddryll, a oedd yn un ffug, a'r bag a oedd yn llawn papurau punnoedd.

Roedd y perchennog, Mr Rhys, wedi'i gynhyrfu'n arw ac yn cael trafferth cael ei wynt ato. Wedi sbel fe ddaeth ato'i hun a chawsom wybod bod gwerth £300 wedi'i gymryd gan y llanc. Daeth â'r sgwrs i ben gyda'r sylw; 'Asu hogia, tydi'r lle 'ma wedi mynd fath â Chicago!'

Daethom i ddeall mai Robert Henry Wiseman oedd enw'r llanc 26 oed a'i fod yn byw yn Stad y Wennol, Caermanog, ond yn wreiddiol o Lerpwl. Fe'i rhoddwyd yn y ddalfa am y noson tra aethom ninnau am beint haeddiannol iawn.

Drannoeth aeth Dafydd a minnau i gartref Wiseman yn Stad y Wennol ac ar ôl cael gair gyda'i wraig a oedd wedi'i synnu gan yr hyn roedd ei gŵr wedi'i wneud, cawsom hyd i fwndel o bapurau punnoedd a sawl llawddryll ffug mewn cist yn ei gwt. Wedi dychwelyd i'r stesion dechreuais holi Wiseman gyda Dafydd Edwards yn bresennol.

'You know why you've been arrested so what have you got to say about it?'

'Yeah and nothin'.'

'Do you admit to these offences we believe you are guilty of?'

'Yeah.'

'Right. Well, earlier this morning we recovered a chest full of pound notes from your garden shed, were these proceeds from the robberies?'

'Yeah.'

'What was the motive behind this then?'

'Seriously?' gofynnodd cyn mynd yn ei flaen, 'I was watching somethin' on TV one night where a bloke was earnin' easy money by holdin' up places with a fake gun, so I had a go . . . simple as that.'

Gyda'r cyfaddefiad gan Wiseman roedd yr achos bellach wedi'i ddatrys.

Am y tro cyntaf ers ymuno â'r C.I.D cefais alwad gan y Prif Gwnstabl ei hun yn fy llongyfarch am gynnal ymchwiliad llwyddiannus i'r lladradau ac yn canmol gwaith diflino fy nitectifs. Cafodd Robert Wiseman ei gyhuddo o'r tair trosedd ac ym mis Ebrill 1962 yn Llys y Goron fe'i carcharwyd am bum mlynedd.

Pennod 17

Ganol mis Ebrill 1962 cymerais bythefnos o wyliau a'i dreulio yng nghwmni Glenys ac Alun Wyn yn Allt Wen.

Cawsom groeso mawr yn y tŷ fferm, er i mam fethu â chofio enw Alun. Fedrwn i ddim dod i delerau â'r dirywiad sydyn a fu ynddi a bûm yn poeni dipyn ynghylch sut yr ymdopai o ddydd i ddydd. Ond yr oedd Ann Williams, yr ofalwraig, yn gaffaeliad mawr iddi yn hyn o beth. Byddai'n glanhau'r tŷ, yn gwneud ychydig o waith golchi ac yn hwylio bwyd i mam. Yn bwysicach na dim, yr oedd hi'n gwmni iddi. Yn wir, roedd Ann yn fendith fawr i mam yn ogystal ag i Ifan.

Wrthi'n hel cerrig gyda'r gwas erbyn amser torri'r gwair oedd Ifan pan gyrhaeddom y fferm. Roedd o'n weddol siriol tra oeddem yno ond roedd yn amlwg fod pwysau'r fferm yn drom ar ei ysgwyddau. Serch hynny, roeddwn wedi mwynhau fy hun yn arw yng nghwmni Ifan a Rhys, yn enwedig felly o gael ymroi'n ôl i hen waith y fferm.

Bob gyda'r nos tra oeddem yno, byddem yn pysgota yn yr afon a byddai Ifan yn dangos i Alun sut oedd 'castio'n iawn'. Pan gefais ddau funud i mi fy hun un diwrnod, es i'r fynwent i weld bedd fy nhad a'm taid, a theimlo'r hen hiraeth yn ymlusgo drosof. Hiraeth am y ddau a oedd yn gewri mawr i mi.

I orffen y gwyliau aethom i Ryd y Foel a chawsom groeso

gan deulu Glenys. Roedd ei mam yn gweld fod Alun wedi tyfu'n hogyn cryf ac yn siarad yn dda am ei oed.

'Ella mai ffarmwr fydd hwn Glenys.'

Gwenodd hithau cyn dweud, 'Dwn i'm Mam, mae o'n deud ei fod o am fynd yn blismon.'

'Ia – dal pobol ddrwg fath â Dad,' ychwanegodd Alun Wyn.

Daeth amser y gwyliau i ben yn rhy fuan o lawer ac ar ddydd Sadwrn digon cymylog troesom drwyn yr hen Forys bach tuag adref. Ond ar y ffordd roedd yn rhaid galw yn Tesco i nôl neges. Wrth i ni gerdded i mewn rhedodd hogyn ifanc i'n hwynebau hefo dwy botel wisgi o dan ei fraich. Fedrwn i ddim ei anwybyddu felly ar ei ôl â fi.

Roedd yr hogyn yn anelu am y lôn fawr pan ddechreuais redeg ar ei ôl. Erbyn i mi gyrraedd y llwybr cul oedd yn arwain at y lôn, gwelais y llanc yn taflu'r poteli i ganol llwyni ac yna'n baglu dros rywbeth ar ganol y llwybr. Cyn iddo godi ar ei draed roeddwn wedi neidio ar ei gefn ac yn ei ddal i'r llawr. Doedd gen i ddim cyffion i'w rhoi am ddwylo'r llanc ac wrth iddo wingo'n wyllt a bytheirio bygythiadau cofiais am yr hyn oedd yn fy mhoced. Dyna un o wersi pwysicaf ffermwr; cofio cadw llinyn bêls yn y boced. Felly dyma fi'n tynnu'r llinyn, ei glymu o amgylch dwylo'r llanc a'i arwain yn ôl i'r archfarchnad.

Roedd rheolwr Tesco'n hynod ddiolchgar am fy nghymorth a phan ddaeth yn amser i ni dalu am y nwyddau cawsom gerdded heibio'r ddesg a phwrs Glenys yn ddim ysgafnach.

Ia wir, weithiau nid oedd dianc o'r gwaith i fod.

Pennod 18

Ym mis Mai 1963 roedd y C.I.D yn brysur yn delio gydag achos difrifol o herwgipio. Un o'r achosion gwaethaf a welwyd yng Nghaermanog erioed.

Ar ddechrau 1950 daeth masnachwr o'r enw Ivor Williams yn ôl o India ar ôl gwneud ei ffortiwn yno'n prynu a gwerthu nwyddau, a bwrw ei wreiddiau ym Mhlas Manog gyda'i wraig, Jane a'u babi Nansi. Bellach roedd y ferch yn 14 oed ac yn mynychu'r Academi i Ferched yng Nghaermanog.

Bob dydd, ac eithrio dydd Iau, byddai Jane Williams yn danfon ac yn casglu Nansi o'r Academi yn ei char. Ar ddydd Iau byddai'r ferch yn mynd ar y bws a byddai hwnnw'n stopio ar y lôn fawr gyferbyn â giât ei chartref. Fel rheol, cyrhaeddai adref tua 5 o'r gloch ar y prynhawniau hynny.

Ddydd Iau'r 10fed o Fai, 1963, gadawodd Nansi'r Academi ar ôl ffarwelio â'i ffrindiau a dal bws 4:30 o'r dref. 5 o'r gloch y diwrnod hwnnw nid oedd golwg ohoni gartref. Nid oedd ei rhieni'n poeni'n ormodol i ddechrau gan fod posibilrwydd y byddai Nansi wedi cymryd yn ei phen i fynd i dŷ un o'i ffrindiau gan beidio â meddwl rhoi gwybod i'w rhieni. Merch a weithredai ar fympwy oedd hi'n aml. Ond erbyn 9:30 y noson honno a dim sôn ohoni, cysylltodd Ivor Williams gyda'i ffrindiau, ond nid oedd yr un ohonynt wedi'i gweld ers yr ysgol. Penderfynodd fod angen ffonio'r heddlu. Anfonwyd plismon yn syth i'w gweld a chafwyd disgrifiad manwl o'r ferch ac enwau ei ffrindiau fel man cychwyn yr ymchwiliad.

Y bore wedyn aeth criw o blismyn a chŵn i chwilio mannau ger ei chartref ar ôl cael cadarnhad gan yrrwr y bws ei fod wedi gollwng Nansi wrth ymyl y giât ger ei chartref y diwrnod cynt. Aeth y Rhingyll Parry hefyd â dau blismon i'r Academi i holi pawb a oedd yn adnabod y ferch.

Wrth i'r dyddiau dreiglo heibio daeth y papurau newydd yn awyddus i roi pob cymorth i'r mater a rhoddwyd sylw i Nansi Williams ar y Newyddion. Erbyn diwedd wythnos gyntaf yr ymchwiliad cafodd y C.I.D eu galw i gynorthwyo, felly fe'm gyrrwyd gan y Ditectif Arolygydd Owen i weld Ivor Williams a'i wraig.

Roedd y tad wedi dechrau hel meddyliau ac yn grediniol fod rhywun wedi bod yn dilyn ei ferch ers sbel. Cefais bob cymorth ganddo a'i wraig y bore hwnnw ond roedd y ddau'n llwyd iawn yr olwg ac yn araf eu sgwrs.

'Wyddoch chi be Mr Morgan, mi fydda i'n darllen am betha fel hyn yn digwydd mewn llefydd eraill ond nid yn fan'ma.' Cliriodd ei wddf ac wedi eiliad neu ddwy sibrydodd, 'Bob tro ma'r ffôn yna'n canu 'dan ni'n gobeithio am ryw newydd ond . . .'

Eglurais wrthynt fod pob ymdrech yn cael ei gwneud ynglŷn â diflaniad eu merch a chefais ganiatâd i chwilio'i hystafell wely. Welais i ddim o bwys yno ar wahân i'r pentwr o luniau o'r teulu ar ei desg. Roedd yn amlwg fod ganddi gryn feddwl ohonyn nhw ac felly ni fyddai'n debygol o fod wedi rhedeg i ffwrdd. Cyn gadael y rhieni gofynnais iddynt a oeddent wedi sylwi ar unrhyw newid yn ymddygiad eu merch yn ddiweddar.

'Ddim o gwbl. Roedd hi'n hapus iawn y dyddia dwytha 'ma. O'ddan ni wedi gaddo teledu iddi'n bresant pen-blwydd felly roedd hi ar ben ei digon,' atebodd Jane Williams.

Dywedais wrthynt am gysylltu â mi unrhyw bryd pe byddent yn cofio rhywbeth pwysig, yn ogystal â'u cynghori i wneud yn siŵr fod ganddynt beiriant recordio wrth law bob tro yr atebent y ffôn rhag ofn y byddai rhywun dieithr yn ceisio siarad efo nhw am eu merch.

Ar fy ffordd i'r dref gelwais i weld gyrrwr y bws, Mr Edward Hughes, a oedd yn digwydd bod yn y garej yn brysur dan foned hen gar.

'Ar ôl i chi stopio gyferbyn â chartref Nansi Williams ddaru chi sylwi os oedd yna rywun o gwmpas neu fod yna ryw gar wedi parcio ar ochr y lôn?'

'Na, welis i ddim byd. Ond mi wnes i anghofio sôn wrth y plisman ddoe am y lôn fach sy'na jyst cyn cyrraedd y bŷs stop. Dwi 'di gweld ceir wedi parcio yno sawl tro o'r blaen. Dwi'n cicio'n hun rŵan na faswn i wedi cymryd golwg iawn o'r lôn wrth basio.'

Ar ôl diolch iddo am ei gymorth mi es am y lôn fach honno. Yn ôl pob golwg, lôn drol oedd hi flynyddoedd yn ôl, a rhyw ddeg llath i lawr y lôn roedd yna giât bren wedi'i gosod i rwystro defaid rhag crwydro ond roedd digon o le i gerbyd allu parcio yno. Wrth ei harchwilio'n fanwl sylwais fod stympiau sigarets yma ac acw a bod olion teiars ffres ar y gwair. Peth arall a sylwais arno'n arbennig oedd bod yna ôl esgidiau sodlau pigfain. Felly gelwais ar Swyddog Archwilio Lleoliad Trosedd ar frys i dynnu lluniau ac i gael golwg fanylach o gwmpas y lôn.

Ddeng niwrnod ar ôl y diflaniad derbyniodd Ivor Williams barsel a oedd, yn ôl y marc post, wedi cael ei anfon o Fanceinion. Yn y parsel yr oedd casét sain ac o chwarae'r casét cafodd dipyn o sioc o glywed y neges fer.

'Your daughter is safe and well but I want £50,000 from you. Be warned, do not get in touch with the cops or your daughter will be dealt with . . . now listen to her . . .'

Clywodd lais dagreuol ei ferch yn sibrwd,

'Dad . . . I'm, I'm alright . . . but please, please give them what they want.'

Daeth llais aneglur y dyn ar ei thraws, 'You'll receive another tape in a few days.' Ac yna distawodd y cyfan.

Roedd ei wraig yn teimlo ychydig yn well o wybod bod eu merch dal yn fyw ond ar ôl pendroni am beth amser penderfynodd y ddau i beidio â rhoi gwybod i'r heddlu am y casét. Teimlent yn gryf mai talu'r pridwerth fyddai orau er mwyn sicrhau cael eu merch yn ôl yn ddi-anaf. Wrth gwrs, roedd Ivor Williams yn teimlo braidd yn euog o gelu'r wybodaeth ac yn ymwybodol fod £50,000 yn swm mawr iawn, ond nid oedd pris rhy uchel ar fywyd ei ferch.

Ar ôl disgwyl ychydig ddiwrnodau am fwy o newyddion ynghylch eu merch, un bore atebodd Ivor Williams y ffôn a chlywodd ddyn yn siarad yn aneglur.

'Everything is going all right so far and your daughter is fine . . . listen carefully to what I've got to say now . . . I want you to place the money in a bin bag and leave it behind the bus shelter opposite your gate at 11.30 Tuesday night . . . remember no cops or else . . .'

'When will you release her?' erfyniodd.

'As soon as I get the cash your daughter will meet you

outside the gate,' a rhoddwyd y ffôn yn ôl yn ei grud. Y tro hwn roedd Ivor Williams wedi recordio'r sgwrs, dim ond rhag ofn.

Yn y cyfamser aeth ei wraig i Fanc y Midland a chodi £50,000 o'u cyfrif, ar ôl gwneud trefniadau gyda rheolwr y banc. Pan gyrhaeddodd adref y prynhawn hwnnw dywedodd wrth ei gŵr,

'Dwi'n siŵr fod y rheolwr wedi amau rhwbeth.'

'Wel, dim ond gobeithio na cheith o air hefo'r plismyn,' atebodd yntau.

Roedd y rhan fwyaf ohonom yn dal i chwilio am Nansi ac yn gweithio'n galed i holi'r hwn a'r llall heb unrhyw syniad am drefniadau Ivor Williams a'r herwgipwyr.

Tua 11:20, nos Fawrth, yn unol â'r cytundeb, rhoddwyd y bag sbwriel llawn arian y tu ôl i'r safle bws ac aros yn y tywyllwch. Ychydig wedi 11:30 gwelodd Ivor Williams rywun yn symud o gwmpas y safle. Cododd y ffigwr y bag sbwriel a cherddodd yn chwim o'r golwg. Aeth rhyw ddeng munud heibio heb ddim yn digwydd. Dechreuodd Ivor Williams boeni a oedd ef wedi cael ei dwyllo ond yn hollol ddisymwth clywodd sŵn traed yn rhedeg o waelod y stryd a llais merch yn gweiddi yn ei dagrau.

'Dad! Dad!'

'Nansi fach . . .' meddai wrth ei derbyn i'w freichiau. 'Mae dy fam a minna wedi bod yn poeni amdanat ti . . . diolch i'r nefoedd . . . tyrd . . . mae dy fam yn dy ddisgw'l di.'

Roedd Jane Williams yn eu haros wrth ddrws eu cartref a rhedodd y ferch i'w breichiau. Yng ngolau'r tŷ cawsant olwg iawn ar eu merch ac er ei bod yn flinedig iawn yr olwg, ei hwyneb yn llwyd, a'i dillad ysgol yn faw drostynt, roedd ganddi wên simsan trwy'r cyfan. Byddai wedi bod yn ddigon bodlon adrodd yr hanes wrth ei rhieni'n syth ond roedden nhw'n awyddus iddi gael noson o gwsg cyn gorfod trafod y digwyddiad.

Drannoeth, cysylltodd Ivor Williams â'r Pencadlys i roi gwybod i ni fod ei ferch adref yn ddiogel. Dywedodd hefyd yr hoffai i'r Ditectif Rhingyll Huw Morgan alw draw yn ei gartref ymhen tridiau.

Roedd Nansi wrth ei bodd gartref hefo'i theulu ac ar ôl noson dawel o gwsg a llond bol o frecwast yr oedd hi'n barod i adrodd y stori.

'Ar ôl i mi ddod oddi ar y bws a cherdded am adra mi neidiodd rhywun o'r tu ôl i mi a rhoi bag dros fy mhen. O'n i'n gallu teimlo'r bag yn tynhau am 'y ngwddw . . . pan ddechreuis i gicio a sgrechian mi ges i 'nghodi a 'nghario i mewn i bŵt car . . . dydw i'm yn siŵr i ba gyfeiriad aeth y car chwaith . . . ar ôl trafaelio ryw chydig mi deimlish i'r car yn troi i'r dde ac mi oedd y lôn yn reit garregog . . . wedyn mi nathon ni stopio. nath 'na rywun afa'l yna'i a 'nhynnu i allan o'r gist a mynd â fi i mewn i'r adeilad . . . aethon ni i fyny'r grisia'. Ges i'n rhoi i istadd mewn cadair a nathon nhw glymu tâp rownd fy mreichia felly o'n i'n sownd . . . wedyn glywish i'r drws yn ca'l ei gloi.'

Aeth yn ei blaen i egluro fod rhywun ar ôl sbel hir wedi dod i'r ystafell a rhoi paned o goffi a chawl iddi. Dyna pryd y tynnwyd y sach oddi ar ei phen ac y gwelodd fod y person yn gwisgo *balaclava* ac oferôls. Ni ddywedodd yr un gair wrthi, dim ond ei rhyddhau o'r tâp er mwyn iddi gael bwyta ac yna gadawodd yr ystafell. Daeth hi i sylwi fod yna wely, sinc a thoiled yn yr ystafell. Roedd yna ddwy ffenest hefyd ond roedd y rheiny wedi'u bordio a'r unig olau yn y stafell oedd hynny o fwlb gwan. Yn ystod yr wythnos ganlynol fe ddaeth yr un person mewn *balaclava* i'r ystafell a dangos amlen iddi hefo'r hyn yr oedd ef am iddi ei ddweud ar gasét. Roedd yn glir wedyn i Nansi fod y person am gysylltu gyda'i thad a gofyn am arian. Wrth i'r dyddiau fynd heibio roedd hi'n pryderu am ei theulu ac yn hel meddyliau am yr hyn a fyddai'n digwydd iddi hithau.

Un noson pan oedd Nansi ar fin mynd i'w gwely daeth rhywun i'r ystafell a thaflu'r sach dros ei phen. Rhoddwyd hi yng nghist y car ac ar ôl ugain munud o deithio cafodd ei rhyddhau.

Ar ôl clywed y stori yn ei chyfanrwydd gan y ferch roedd ei thad yn gwybod ei fod wedi gwneud y penderfyniad iawn yn talu. Erbyn hynny roedd y newydd da am Nansi'n destun siarad yn y dref a thrwy'r bore bu'r ffôn yn canu'n ddi-baid gyda phobl yn estyn eu llongyfarchiadau iddo. Yr oedd un papur newydd lleol wedi cynnig dipyn o arian am y stori ond gwrthododd y cynnig. Yn ystod y diwrnod roedd y newydd wedi lledu drwy'r wlad ac roedd darlledwyr y BBC yn canmol Ivor Williams am ei ymhdrechion i sicrhau dychweliad diogel ei ferch, er nad oeddent yn hollol sicr o'r ffeithiau tu ôl i'r digwyddiad. Wrth i'r diwrnod hwnnw fynd yn ei flaen ymddangosai mwy o swyddogion a newyddiadurwyr newynog am y sgŵp wrth y giât, ond ni ddiwallwyd yr un ohonynt.

Wedi rhyw dridiau roedd pethau wedi tawelu a dim un wenynen newyddiadurol yn hofran y tu allan i'w cartref, felly yn driw i'm haddewid, gelwais i weld Ivor Williams. Cyn i mi gael sgwrs efo'i ferch, yr oedd ef eisiau gair bach â mi'n gyfrinachol yn ei stydi. Dechreuodd drwy ymddiheuro am gelu'r trefniant rhyngddo â'r herwgipiwr a phwysleisiodd ei fod yn gwerthfawrogi'r gwaith diflino a wnaeth yr heddlu. Dywedais wrtho ei fod yn ddyn hynod lwcus a bod troseddau o'r fath weithiau'n diweddu'n ddrwg iawn ond cydnabyddais iddynt fod wedi dangos cryn ddewrder wrth ddelio gyda'r fath fygythiad.

Yna cefais fy arwain i'r lolfa i gyfarfod y ferch a chlywed ganddi hanes yr herwgipiad. Yna gofynnais a oedd ganddi unrhyw syniad ymhle y cafodd ei chadw.

'Dwi'n meddwl mai mewn tŷ ffarm oedd o achos dwi'n siŵr i mi ogleuo tail gwartheg.'

'Oedd yna rwbeth yn y stafell ddaru tynnu'ch sylw?'

'Dwi'n cofio gweld hen galendr ar y wal. O'dd rhywun wedi sgrwennu '*Meet Hefin*' mewn beiro las ar un o'r dyddiadau.'

'Ddaru chi sylwi ar rywbeth yn arbennig am y dyn fyddai'n dod i'r stafell?'

'Toedd o'm yn ddyn mawr . . . bob tro'n gwisgo oferôls glas a *balaclava*. Fydda' fod byth yn siarad . . . ac roedd o'n gwisgo modrwy aur hefo carreg werdd yn y canol ar un o'i fysedd chwith.'

Diolchais i Nansi am ei chymorth a ffarweliais â'r teulu gyda chryn dipyn mwy o wybodaeth am yr herwgipiwr. Wedi trefnu i griw o blismyn chwilio'r tyddynod rhwng Caermanog ac Abernant gwnes innau ymholiadau pwyllog gyda rhai o'm ffrindiau a oedd yn gweithio yn y banciau a'r cymdeithasau adeiladu, ond ofer fu'r ymchwilio. Hynny yw, tan un prynhawn. Tra oeddwn yn fy swyddfa, daeth hen ffrind ar y ffôn â neges bwysig i mi.

'Huw, chdi sy 'na?'

'Ia.'

'Tyrd at yr hen bont nos fory am unarddeg.'

Sôn am *blast from the past* go iawn!

Felly am 11 o'r gloch y noson ddilynol roeddwn ar Bont Manog ac mewn dim o dro daeth y llais i'm cyfarch.

'Yli Huw, dwi isio dipyn o bres am y wybodaeth yma gan 'mod i 'di'i chael hi gan ffrind. Dipyn go lew. Dwi'n gwbod pwy gipiodd yr hogan 'na.'

A minnau ar dân eisiau'r atebion cytunais yn ddi-oed.

'Mae'r ddau'n gweithio yn yr Academi . . . Danny Hughes, y gofalwr a'i wraig, Betty sy'n gweithio yn y gegin.'

'Pa mor siŵr wyt ti, Siôn?'

'Mi welis i'n ffrind, sy'n gweithio fel beliff, un noson yn un o'r clybia'n dre, ac mi soniodd wrtha i fod o ar ôl y ddau yna oedd mewn dyled dros eu pen a'u clustia. Wsnos yn ôl pan alwodd o i weld Danny mi gafodd £40,000 mewn cash. Felly dwi'n hollol siŵr . . . pob lwc i ti Huw.'

A diflannodd yn ôl i gysgodion y bont.

Yn y stesion drannoeth cefais air gyda'r Ditectif Arolygydd Owen am y wybodaeth a phenderfynu y dylwn gael golwg o'r lle roedd y ddau'n byw. Felly, tua 7 o'r gloch fore dydd Sadwrn y 23ain o Awst aeth criw ohonom i Hafod Wen, cartref Danny a Betty Hughes. Roedd y ddau'n amlwg yn dal i fod yn eu gwely ond ar ôl curo'r drws am sbel daeth Danny i'r golwg. Am funud yr oedd i'w weld wedi'i syfrdanu ac yna daeth Betty i'r drws, yn ei gwisg nos, a dechrau clebran a chwyno pam oeddem ni yno mor fore. Distawodd yn fuan pan eglurodd ei gŵr beth oedd natur ein hymweliad. Fûm i fawr o dro'n canfod yr ystafell y cafodd Nansi ei chadw ynddi a chymerais y calendr y soniodd y ferch amdano efo fi i'r stesion.

Gofynnais i'r arbenigwyr fforensig dynnu lluniau o'r ystafell. O gofio i mi weld olion esgidiau pigfain yn y lôn fach ger cartref Nansi, edrychais yng nghwpwrdd dillad Betty a gwelais yno bâr o esgidiau wedi eu sbrencio gan fwd. Rhoddais y rheiny i'r arbenigwyr fforensig a chymerwyd eu Ford Escort yn ogystal.

Ar ôl rhoi amser i'r ddau wisgo dywedais wrthynt yn swyddogol fy mod yn eu harestio ar amheuaeth o gipio Nansi Williams.

Yn y stesion, erbyn 9 o'r gloch y bore hwnnw roedd y manylion am y ddau wedi eu nodi ac roeddent yn barod inni'u holi. Penderfynais ddelio efo Danny'n gyntaf yng ngŵydd y Ditectif Cwnstabl Cledwyn Jones. Nid oedd gan Danny dwrnai'n bresennol: 'Be di'r pwynt? Dach chi 'di'n dal ni go iawn, yn do?'

'Rydach chi'n siŵr o fod yn ymwybodol fod herwgipio rhywun yn drosedd hynod ddifrifol. Ond, wrth gwrs, weithiau mae yna amgylchiadau sy'n gyrru rhywun i wneud trosedd o'r fath.'

'Dwi 'rioed wedi bod mewn traffarth o'r blaen. Mi fasa 'nhad yn fy lladd i tasa fo'n fyw heddiw. O'ddan ni mewn dyled . . . a'r beiliff yn bygwth cymryd y tŷ.'

'Mae'n amlwg eich bod wedi cynllunio hyn i gyd yn ofalus,' meddai Cledwyn.

'Roedd y wraig a minna'n gwbod fod gan dad Nansi ddigon o bres – dyna sut ddoth y syniad.'

'Faint o'r pres sydd ar ôl?' gofynnais yn y man.

'Y cwbl lot 'di mynd i glirio dyledion.'

Gwnaeth Danny ddatganiad llawn i'r Ditectif Cwnstabl tra es i ati i holi Betty. Yn yr un modd cytunodd hithau i wneud datganiad. Y diwrnod wedyn cafodd y ddau eu cyhuddo o gipio ac o ddal person am bridwerth. Yn Llys y Goron yn yr hydref plediodd y ddau'n euog i'r troseddau ac fe'u dedfrydwyd i chwe blynedd o garchar.

Roeddwn yn hynod falch fod yr ymchwiliadau i achos cipio Nansi Williams wedi eu datrys am fod y gwaith yn feichus ar y gorau. Ond roedd gennyf un peth oedd angen ei wneud cyn y gallwn gau pen y mwdwl yn llwyr, a hynny oedd talu gwobr eto i Siôn Cati.

Pennod 19

Yn nechrau Medi 1963 cefais seibiant o wythnos o'r gwaith ac aethom i Blackpool am dridiau i weld y goleuadau ac ambell sioe. Gwelsom y digrifwr Tommy Trinder un noson a chwerthin llond ein boliau, a'r canwr enwog, David Whitfield ddiwrnod arall a mwynhau'n fawr bob munud o'i berfformiad. Roedd yn bleser cerdded ar hyd y promenâd gyda'r nos gydag Alun wedi dotio at y goleuadau, ac yn erfyn am gael mynd i ben y tŵr. Roeddem yn ddigon lwcus o gael lle da i aros yng nghanol y dref, digon o fwyd da a llonydd oddi wrth bob cyfrifoldeb gartref.

Cyn diwedd yr wythnos aethom i aros gyda rhieni Glenys yn Wern Lwyd. Roedd mam Glenys erbyn hynny'n poeni dipyn am Tom, ei gŵr, gan ei fod wedi cael codwm arall yn ddiweddar ac wedi mynd yn fwyfwy ansicr ar ei draed. Roedd o wedi gweld ei feddyg ac wedi cael cwrs o dabledi, a mynegodd hithau ei phryder wrtho: mewn ychydig o amser, ni fyddai'n medru rhedeg y fferm gystal ac efallai y dylai ystyried ymddeol. Parodd hyn gryn loes iddo ond cyfaddefodd wrthyf un noson ei fod yn ymwybodol mai dyna a fyddai yn digwydd cyn bo hir.

Serch hynny, buan y daeth bore dydd Llun ac ar fy nesg roedd yna neges yn dweud fod angen i mi alw i weld Margaret Roberts, Maeres Caermanog, a oedd yn byw yn Aber Lan nid nepell o Bont Manog. Roedd y Faeres wedi colli ei gŵr ddwy flynedd ynghynt mewn damwain ar y ffordd a bellach yn byw ar ei phen ei hun. Roedd hi'n ddynes wendeg ac annwyl tu hwnt a'i chŵyn oedd bod rhywun wedi dwyn ei dillad isaf oddi ar y lein yn yr ardd. Y trydydd tro iddo ddigwydd dros yr wythnos honno.

Wedi cael gair â hi, cytunwyd y byddwn yn cadw golwg ar yr ardd rhwng 7 a 9 o'r gloch y nos Sadwrn ddilynol ac iddi hi roi ei dillad isaf ar y lein ar ôl i mi gyrraedd. Cefais ganiatâd ganddi i wylio o'i sied oedd gyferbyn â'r lein.

Tua 7 o'r gloch y nos Sadwrn honno, ar ôl i Margaret Roberts roi ei dillad ar y lein, gwnes fy hun yn gyfforddus yn y sied gyda phaned o de a phaced o fisgedi.

Roedd hi'n dechrau tywyllu erbyn 8 o'r gloch ac er ei bod yn noson fwyn roedd oerfel mis Medi'n ymgripio o gylch fy nghoesau, a ffenest y sied yn tarthu, yn amharu ar fy ngolwg o'r ardd. Ychydig ar ôl 8 o'r gloch clywais dwrw car yn y lôn fawr ac yna distawrwydd. 'Tybed ai hwn ydi o?' meddwn wrthyf fy hun. Ac yn wir, daeth dyn i'r golwg a sleifio'n syth at y lein ddillad. Rhoddais ddigon o amser iddo dynnu'r rhan fwyaf o'r dillad cyn dod o'r sied a gafael arno. Cyn iddo sylwi ar yr hyn oedd yn digwydd roeddwn wedi rhoi'r cyffion am ei ddwylo a'i hebrwng i mewn i'r tŷ. Ffoniodd Margaret Roberts yr heddlu ac aethpwyd ag o i'r stesion a'i roi yn y ddalfa.

Edward Tomos oedd enw'r dyn, hen lanc a weithiai fel gofalwr tai bach i'r Cyngor ac roedd yn byw mewn fflat uwchben siop elusen yn y stryd fawr. Cyn i mi adael tŷ Margaret Roberts cefais olwg ar ei gar ac yn wir, roedd ei gist yn llawn dillad isaf merched. Yn ôl yn y stesion roeddwn yn barod i'w holi. Cyfaddefodd mewn dim ei fod wedi dechrau dwyn dillad isaf merched ryw flwyddyn yn ôl. Gwnaed ymholiadau a chadarnhaodd llawer o wragedd eu bod wedi colli eu dillad ond nid oeddent wedi hysbysu'r heddlu oherwydd y fath embaras.

Roedd rhywbeth anarferol ynghylch y dyn, rhyw ddiymadferthedd nad oeddwn wedi dod ar ei draws o'r blaen. Roeddwn yn teimlo nad dyn gwyrdroëdig mo Edward Tomos a'i fod, mewn gwirionedd, angen cymorth meddygol, ond nid oedd y Ditectif Arolygydd Owen yn cytuno â mi.

'Gada'l i'r cwrt ddelio hefo fo siŵr,' oedd ei farn.

Felly cafodd Edward Tomos ei gyhuddo o ddwyn dillad isaf deg o ferched ac yn Llys yr Ynadon ar yr 2il o Hydref 1963 cafodd ei roi ar brawf am flwyddyn a gorchmynwyd iddo gael asesiad seiciatrig. Diolch i'r drefn, roedd rhyw obaith iddo bellach.

Pennod 20

Aeth y chwe blynedd nesaf heibio'n sydyn iawn. Roeddwn yn dal i weithio'n galed gyda'r heddlu ac o dro i dro'n dal i gael gwybodaeth gan yr hen Siôn Cati triw.

Ar ddechrau mis Awst 1969 daeth amser y Ditectif Arolygydd Owen gyda'r heddlu i ben, a hynny ar ôl 31 o flynyddoedd. Trefnwyd parti mawr iddo yn y Clwb Criced ac am noson oedd honno! Cyflwynwyd cloc silff-ben-tân arian gyda'i enw wedi'i naddu arni gan bawb yn y C.I.D iddo a diolchodd yntau am y gefnogaeth hael yr oedd o wedi'i chael drwy gydol ei yrfa. I orffen y noson, penderfynodd fynd ar ben cadair a chanu 'Calon Lân' gan gymell pawb i ymuno.

Ar ôl ymadawiad y Ditectif Arolygydd Owen roeddem i gyd yn dyfalu pwy fyddai'n cymryd ei le. Clywais awgrymu ambell enw ond nid oedd dim newydd o'r pencadlys. Fodd bynnag, bythefnos yn ddiweddarach cefais fy ngalw i weld y Prif Gwnstabl Watcyn Williams a chael y newydd hwn,

'Wel Morgan, rydw i wedi penderfynu eich dyrchafu chi i swydd y Ditectif Arolygydd. Yn fy marn i a sawl un arall, rydych chi'n haeddu'r dyrchafiad am y gwaith safonol a chyson rydych chi wedi'i wneud.'

A minnau wedi fy llorio braidd, y cyfan allwn i ei ddweud oedd, 'Diolch Syr' ac ysgydwais ei law'n llipa. Gadewais y swyddfa i weld y Ditectif Arolygydd Edgar Bevan gan mai iddo fo y byddwn yn atebol o hynny ymlaen. Ysgydwodd yntau fy llaw gan ddatgan, 'Well done Huw. Keep up the good work and don't hesitate to contact me if you have any queries. I'm sure you'll do quite well.'

Ar fy ffordd o'r pencadlys gelwais i weld Glenys gyda'r newydd da a'i hymateb cyntaf oedd,

'Fedri di fforddio car newydd rŵan a chôt ffwr i mi.'

Cyfrannodd Alun Wyn ei bwt yntau, 'Mi fedran ni fynd i Disneyland rŵan, Dad.'

Ar y ddesg yn fy nisgwyl yn y swyddfa roedd pentwr o gardiau'n fy llongyfarch. Roedd fy nghyfrifoldeb fel Ditectif Arolygydd yn fawr bellach. Roedd yn rhaid i mi wneud yn siŵr fod y swyddfa'n rhedeg yn rhwydd, arwain ymchwiliadau, fel y deuent i law, yn ogystal â delio'n bersonol ag achosion difrifol fel llofruddiaethau.

•

Fore dydd Llun, Tachwedd y 12fed 1969, cefais wybod gan y Ditectif Uwch-Arolygydd Bevan ei fod wedi cael galwad brys gan wraig o'r enw Eida Evans a oedd yn cadw fflatiau yn Stryd Awelon, yn dweud fod dyn canol oed yn un o'r fflatiau wedi cael ei ganfod yn farw. Gofynnodd i mi ei gyfarfod y tu allan i'r adeilad mewn chwarter awr gan fod Swyddogion Archwilio Lleoliad Trosedd (SOCO) ar eu ffordd yno.

Erbyn i mi gyrraedd Stryd Awelon roedd y wasg eisoes yn tyrru'r tu allan i ddrws ffrynt yr adeilad ac roedd yna heddwas ifanc yn cael dipyn o drafferth i'w cadw draw. Gelwais ar y radio am heddwas arall i gynorthwyo'r glaslanc gan fod angen digon o lonydd i'r swyddogion fforensig allu gwneud eu harchwiliad yn iawn.

Cyn mynd i fflat 14 cawsom air gyda'r perchennog, Eida Evans. Adroddodd fel yr aethai heibio'r fflat yn y bore a sylwi fod y drws yn gilagored. Galwodd ar Idris, y gŵr oedd yn byw yn y fflat, rhag ofn ei fod yn cysgu ond ni chafodd ateb. Fel arfer byddai Idris yn codi'n fore ond o beidio â chael ateb gwthiodd hi'r drws ac agorodd hwnnw'n gwbl ddi-drafferth. Cafodd gryn fraw wrth weld Idris yn gorwedd ar y llawr yn ei ddillad isaf a rheiny'n mwydo mewn gwaed ond galwodd am ambiwlans ar unwaith ac wedyn yr heddlu.

Roeddwn eisoes wedi penodi chwe ditectif i holi'r bobl a oedd yn byw yn y fflatiau eraill yn ogystal â'r bobl oedd yn byw ar yr un stryd. Tra oeddem yn disgwyl i SOCO ddarfod eu harchwiliad cafodd y Ditectif Uwch-Arolygydd Bevan wŷs ar y radio i weld y Prif Gwnstabl yn y pencadlys felly bu'n rhaid iddo adael. Cefais air arall gydag Eida Evans, un ychydig yn llai ffurfiol.

Gwraig weddw oedd hi, wedi byw yn 26 Stryd Awelon ers 6 blynedd. Bu farw ei gŵr yn fuan wedi iddynt brynu'r tŷ felly penderfynodd droi'r adeilad yn fflatiau fel modd o ddod ag incwm i'w chynnal. Gofynnais iddi ddweud yr hyn a wyddai am hanes Idris Wyn Evans, y tenant.

'Hen lanc oedd o ac mi fydda fo'n dod i lawr y grisia'n aml gyda'r nos i gadw cwmni i mi . . . mi ddois i'w nabod o'n reit dda . . . cafodd o'i fagu mewn cartra plant rhywle yn Aberystwyth. Wyddai o ddim pwy o'dd ei rieni a doedd arno ddim awydd gwybod chwaith . . .' Oedodd am eiliad cyn gollwng chwerthiniad ysgafn, 'Mi fydda fo'n canu caneuon gwerin hefo'i gitâr mewn clybia yn y dref. Fyddai'i gitâr ar ei gefn bron bob tro y bydda fo'n dod i 'ngweld – o'n i'n ca'l consart bach fy hun yma. Mi fydd hi'n chwith iawn hebddo fo.

Fedra i'm meddwl am neb fasa'n gneud y fath beth iddo . . .'

'Fyddai rhywun yn galw yn y fflat i'w weld o o gwbl?'

'Dwi'm yn meddwl. Dwi'n reit llym felly. Tydw i'm yn lecio pobol yn dŵad i'r tŷ 'ma oni bai eu bod nhw'n berthyn. Roedd Idris yn gwybod hynny'n iawn.'

Yn y cyfamser daeth un o swyddogion SOCO i'm gweld a rhoi caniatâd i mi fynd i'r fflat. Roedd golwg druenus ar y tenant, yn gorwedd ar ei ochr gyda'i wyneb at y ffenest a haul gwan mis Hydref yn dangos y briwiau o amgylch ei wddw'n glir. Roedd yna gyllell wedi hollti ei wddf ac roedd briwiau ar hyd ei freichiau. Roedd y rheiny'n gydweddol â'r toriadau a wnaed hefo'r gyllell, ac roedd hynny'n awgrymu ei fod wedi ceisio amddiffyn ei hun yn ystod yr ymosodiad. Roedd wedi gwaedu'n arw a'i wallt du bellach wedi dechrau sychu ar ôl mwydo yn y gwaed. Sylwais fod pyllau duon ar hyd y llawr wrth ei wely ac olion esgidiau *trainers* nid nepell oddi wrtho yn arwain i'r gegin fach. Yn anffodus, nid oedd yr arbenigwyr wedi canfod yr arf, cyllell, yn ôl pob tebyg.

Roeddwn innau ar fin gadael pan sylwais ar silff lyfrau yng nghornel yr ystafell wely. Dechreuais bori drwy'r llyfrau a deuthum ar draws un gan T. Llew Jones. Pan ddarllenais y teitl, *Dial O'r Diwedd: Rhagor o Anturiaethau Twm Siôn Cati* aeth ias drwof. Tybed ai'r gŵr hwn oedd fy hysbyswr? Gadewais yr ystafell yn gobeithio mai dyn dieithr oedd Idris ond roedd rhywbeth yn dal i gnoi y tu fewn i mi. Efallai fy mod wedi cwrdd â Siôn Cati o'r diwedd a hynny dan amgylchiadau hynod annifyr.

Serch hynny roedd yn rhaid i mi geisio anghofio am Siôn Cati a chanolbwyntio ar ddatrys llofruddiaeth Idris Wyn Evans. Ar ôl gadael i'r corff gael ei symud o'r fflat dywedais wrth Eida Evans iddi gadw llygad barcud ar y lle a rhoddwyd rhuban melyn ar draws y drws.

Euthum i'r corffdy ar gyfer yr archwiliad post mortem. Nododd y Patholegydd Reginald Young fod deg o friwiau ar y corff; chwech ohonynt yn doriadau a wnaed gyda chyllell a'r gweddill yn gleisiau. Y briw mwyaf difrifol oedd hwnnw ar ochr chwith y gwddf a oedd yn dair modfedd o hyd ac yn ddwfn iawn. Yn nhyb y patholegydd roedd y briw wedi'i wneud gyda symudiad at i fyny ac yna o'r chwith i'r dde. Roedd mwy o friwiau hefyd ar hyd y trwyn oedd yn awgrymu fod yr ymosodwr wedi gwasgu ei law dros wyneb Idris i geisio'i dagu cyn agor ei wddf gyda'r gyllell. Canfuwyd hefyd fod yna waed yn yr ysgyfaint. Roedd Idris wedi llyncu dipyn o'r gwaed ac roedd hynny'n arwyddo'i fod wedi cymryd dipyn o amser i farw.

Rhoddais wybod i'r plismyn a oedd yn holi cymdogion Stryd Awelon y dylent chwilio llwyni, gerddi, cytiau ac yn enwedig biniau ysbwriel yr ardal am gyllell, neu unrhyw beth arall ag olion gwaed arno. Wedi gwneud hynny es yn fy ôl i weld Eida Evans, rhag ofn ei bod wedi cofio rhywbeth arall. Roedd hi'n falch o'm gweld a thros baned cefais y cyfle i'w holi ymhellach, 'Mae'n rhaid fod gan bwy bynnag laddodd Idris oriad i ddod i mewn trwy'r drws ffrynt, neu eu bod nhw'n ddigon cyfarwydd i Idris i gael eu gwahodd i'r adeilad . . .' Cymerais lymaid o'm paned cyn bwrw'r rhwyd; 'Dwi'n cofio chi'n sôn ei fod o'n canu yn y clybiau nos. Fydda fo'n gwneud hynny'n aml?'

'Dyna gwestiwn rŵan. Dwi'n cofio fo'n deud y bydda fo'n canu bob nos Sul yn y Clwb Cymreig yn Stryd Manog ond dwn i'm os aeth o allan neithiwr.'

Erbyn i mi fynd yn ôl i'r stesion yr oedd y Ditectif Uwch-Arolygydd Bevan yn fy nisgwyl.

'It's a nasty murder and at the moment I can't really tell you the motive behind it . . .' cyfaddefais yn gloff cyn ychwanegu, 'It would appear that his assailant might have been invited into his flat or that they had a duplicate key. The victim was stabbed several times and died after his throat had been cut. There's no sign yet of the weapon but most of the officers are searching the area as we speak.'

'I'll go and see the Chief Constable now and inform him of the investigation. Let's hope more light will shine on the matter soon.' A'r frawddeg honno'n fwy o orchymyn na dymuniad.

Gyda'r nos y diwrnod hwnnw gelwais yn y Clwb Cymreig yn Stryd Manog a chefais air gyda'r stiward Meurig Williams. Roedd o wedi clywed y newyddion am Idris ar y radio ac wedi'i ddychryn yn arw. Cadarnhaodd ei fod yno'n canu'r nos Sul cyn iddo farw a'i fod mewn hwyliau da drwy gydol y nos.

'Pan doedd Idris ddim yn canu, ddaru chi sylwi ar rywun yn siarad efo fo?'

'Roedd hi'n llawn dop yma neithiwr. Lot o bobl ddiarth a deud y gwir. Dwn i'm yn iawn hefo pwy oeddwn i'n siarad heb sôn am Idris . . . Ond ar ei ben ei hun oedd o'n licio bod 'chi.'

'Pryd fydda fo'n gorffen canu am y noson fel arfer?'

'Tua deg.'

'Ydach chi'n cofio'i weld o'n gadael y clwb?'

'Mi wnes i dalu ugain punt iddo am y noson a tua unarddeg mi gefis i gip arno'n gadael. Ond toedd o'm ar 'i ben ei hun. Mae arna i ofn mai golwg sydyn ges i ond dwi'n siŵr mai dyn oedd hefo Idris. Ella neith hwnnw oedd ar y drws neithiwr eich helpu chi ond tydi o'm yma ar hyn o bryd.'

Cefais gyfeiriad Patrick Flynn gan y stiward ac ar hynny i ffwrdd â mi i 42 Stad y Wennol. Wedi i mi egluro wrtho ddiben fy ymweliad roedd yn awyddus iawn i'm helpu. Dyn cyhyrog oedd Patrick Flynn a arferai fod yn reslar pan oedd yn iau.

'Ydach chi'n cofio gweld Idris Evans yn gadael neithiwr?'

'Yndw. O'dd o'n od iawn a deud y gwir achos fel arfer mi fydda fo'n gada'l ar 'i ben 'i hun.'

'Oeddach chi'n nabod y dyn oedd hefo fo?'

'Nago'n. Ond w'chi be, to'n i'm yn lecio'i olwg o. Pan ddudish i 'Nos da' wrth Idris nath llall ddim sbio arna i ac o'dd o'n mynnu sefyll yn agos at Idris.'

'Fedrwch chi ddisgrifio'r dyn yma?'

'Rhyw 45 oed ella. Gwallt byr, gwynab crwn. Dipyn talach nag Idris. Ac o'dd o'n gwisgo siacad ledr frown. Dwi'n meddwl fod o'n gwisgo treinyrs gwyn hefyd. Cofio rhywun yn tynnu sylw at hynny – fod o'm 'di gneud fawr o ymdrach neu rwbath.'

'Fasach chi'n nabod o eto?'

'Byswn, yn hawdd iawn.'

Cyn i mi ei adael cymerais ddatganiad llawn a gofynnais iddo gysylltu â mi pe digwyddai iddo ddod ar draws y dyn a adawodd gydag Idris. Ac ar fy ngwir, tua 10 o'r gloch fore trannoeth, cefais alwad ffôn gan Patrick Flynn.

'Insbector, dwi'n sefyll yn y stesion trên ar fy ffordd i Gaer ac mae'r boi 'dach chi isio'i weld yma. Mae o'n gwisgo cap *baseball* ac yn hofran wrth ymyl y toiledau. Ma'r trên ddeg munud yn hwyr, os dowch chi yma rŵan ella fedrwch chi'i ddal o.'

'Reit Patrick – dwi ar y ffordd.'

O glywed y newydd yma roedd yn rhaid i ni fod yn weddol

gyflym. I mewn i'r car â mi a dau blismon arall ac ar ôl cyrraedd y stesion gwelsom y dyn â'r cap pêl fas am ei ben yn cyrcydu wrth ymyl llwyth o focsys ar y platfform. Yn y man neidiodd ar ei draed a'i bachu hi; roedd o wedi'n gweld.

Rhuthrodd y ddau blismon ar ei ôl ac er iddo geisio dianc o'u golwg llwyddodd y plismyn i'w gornelu a rhoi'r cyffion arno. Roeddem wedi dal ein llofrudd.

'Mr William Rees Parry rydw i'n eich arestio ar amheuaeth o lofruddio Idris Wyn Evans yn rhif 15 Stryd Awelon ar y 12fed o Dachwedd. Nid oes raid i chi ddweud dim ond bydd yr hyn a ddywedwch yn cael ei gyflwyno yn y llys fel tystiolaeth.'

Ar ôl cyrraedd y stesion gofynnodd William Parry am ei dwrnai, Mr Ellis Griffiths, ac fe gafodd ei ddymuniad. Tua 2 o'r gloch y prynhawn hwnnw dechreuais holi William Parry gyda'i dwrnai a'r Ditectif Rhingyll Owen Evans yn bresennol.

'Mi wyddoch yn iawn pam eich bod chi wedi cael eich arestio, felly ydach chi isio deud rhywbeth arall am hynny?'

Edrychodd arnaf ac yna ar ei dwrnai. Ysgydwodd hwnnw ei ben ac felly daeth yr ateb, ''Sgin i'm byd i'w ddeud.'

Sesiwn felly oedd hi; holi, ysgwyd pen a dim yn cael ei ddatgelu. Ond yn y cyfamser daethpwyd o hyd i gyllell gan un o'r plismyn, mewn draen yn Stryd Awelon. Roedd y gyllell bellach yn nwylo'r arbenigwyr fforensig, gyda dillad William Parry yn ddarnau anhepgor o dystiolaeth.

Daeth newydd gan yr archwilwyr fforensig ar y diwrnod cyn i Parry gael ei ryddhau, yn cadarnhau fod yna waed ar y *trainers* a'r siaced ledr a bod hynny'n cyfateb i waed Idris Wyn Evans. Roedd digon o dystiolaeth bellach yn erbyn Parry ac fe'i cadwyd yn y ddalfa. Yn Llys y Goron ym mis Ionawr 1970 fe blediodd yn euog ac fe'i carcharwyd am oes.

Ar ôl i bethau ddistewi gelwais i weld Eida Evans a oedd yn falch fod y dyn a laddodd Idris wedi'i ddal. Wedi cymryd llymaid o'i the trodd ataf a dweud, 'Wyddoch chi be, Insbector, mae gen i hiraeth mawr ar ei ôl o, yn enwedig gyda'r nos. Tydi hi'm yr un fath heb y gitâr a'r llais bariton yna.'

'Mae hi'n siŵr o fod yn anodd, ond gydag amser mi wellith petha . . .'

Wrth i'r sgwrs barhau gofynnodd Eida a hoffwn i gael golwg arall ar fflat Idris yn y gobaith efallai y byddai hynny'n tawelu fy meddwl innau ychydig. Fedrwn i dal ddim deall beth oedd y cymhelliant dros ladd Idris. Ddywedodd Parry ddim pam ei fod wedi'i ladd, dim ond cyfaddef sut, pryd a lle.

Euthum i rif 14 ac wrth chwilio'r ystafell deuthum ar draws £400 wedi ei guddio dan fatres y gwely. Penderfynais roi'r arian i Eida Evans i'w ddefnyddio tuag at gostau'r angladd. Gallai hefyd ddefnyddio cyfran ohoni i lanhau'r fflat, er mwyn ei gosod eto.

Yn ôl y C.I.D yng Nghaer, lle roedd llofrudd Idris yn byw, roeddent yn amau fod William Rees Parry yn dipyn o *hit man*. Roedd ganddo nifer o euogfarnau am ymosod ar bobl hollol ddieithr iddo ond nid oedd hynny'n ddigon i brofi'r dybiaeth hon. Fodd bynnag, cyn rhoi'r achos yma o'r neilltu ymwelais â'r Clwb Cymreig unwaith eto i holi'r stiward a oedd o'n adnabod William Rees Parry ai peidio?

'Ma'r enw'n canu cloch ond fedra i'm rhoi gwynab i'r enw.'

Roeddwn yn amau'n gryf fod y stiward yn gwybod mwy am hanes Parry ac efallai fod rhywun wedi cael gair bach yn ei glust. Dyna'r argraff a roddodd i mi, beth bynnag. Ond wedi'r cyfan, roedd ganddo wraig a phlant i feddwl amdanyn nhw.

Cafodd Idris Wyn Evans angladd parchus a chafodd ei gladdu ym mynwent Capel Bethesda. Roeddwn wedi fy synnu gyda'r dyrfa oedd wedi ymgynnull ac ar ôl y gwasanaeth daeth Eida Evans ataf.

'Insbector, diolch o galon i chi am ddod. Ro'n i isio deud wrthoch chi 'mod i wedi rhoi hen record ac un o hoff lyfrau Idris yn yr arch hefo fo, rhag ofn i rywun feddwl eu bod nhw ar goll.'

Ni allwn rwystro fy hun rhag gofyn, 'Pa lyfr oedd hwnnw Mrs Evans?'

'Hwnnw am Twm Siôn Cati . . . *Dial o'r Diwedd* dwi'n meddwl o'dd ei enw o. Roedd o'n darllan hwnnw'n amal i mi.'

Roedd hyn wedi codi hen fwgan a'r bwgan hwnnw bellach yn boenus o eglur. Roedd rhywun wedi dial ar yr hen Siôn Cati; yr hysbyswr triw a'm cyfaill yn y cysgodion.

Pennod 21

Ar ddechrau mis Mawrth 1975, a minnau'n reit brysur yn fy swyddfa, cefais neges ar y ffôn gan Glenys yn dweud fod ei thad newydd farw. Roedd Tom wedi mynd am dro yn y prynhawn am y tro cyntaf ar ôl y gaeaf garw ac ar ôl dychwelyd ymhen hanner awr bu'n cwyno ei fod yn cael poenau yn ei frest. Galwyd am y meddyg ond roedd Tom wedi marw cyn iddo gyrraedd. Trawiad ar y galon.

Diwrnod gwlyb oedd diwrnod y cynhebrwng ond roedd Capel Bethesda wedi'i llenwi i'r ymylon. Cafwyd teyrngedau a darlleniadau teimladwy iawn ac i orffen y gwasanaeth canodd Elin Lloyd, cantores ifanc o'r ardal, yr emyn 'Gwahoddiad', ac yna fe roddwyd Tom i orffwys yn dawel ym mynwent y capel.

Pan ddaeth yr wythnos alaru i ben bu'n rhaid i mi ddychwelyd i'm gwaith ond gadewais Glenys ac Alun yn Wern Lwyd am ychydig ddiwrnodau er mwyn cadw cwmni i'r hen wraig a'i helpu i ddod i delerau efo'i sefyllfa. Roedd yr wythnosau cyntaf yn anodd iawn iddi ond gyda threigl amser fe ddaeth i ymdopi gyda'r newid. Ymhen blwyddyn gwerthwyd y fferm a daeth Enid i fyw atom ni yng Nghaermanog.

Erbyn mis Ebrill 1978 roeddwn wedi treulio pum mlynedd ar hugain gyda'r heddlu ac roedd Glenys a minnau'n teimlo ei bod yn bryd symud o dŷ'r heddlu a chael byngalo bach yn y dref. Yr oedd Enid, ei mam, yn awyddus i brynu'r byngalo a phan welsom Glan Manog gwyddom mai yno oedd adref.

Roedd y tŷ lled cae o afon Manog a gardd fawr yn y cefn a hynny'n plesio Glenys i'r dim. Roedd hi'n hoffi garddio ac erbyn yr haf byddai'r ardd yn llawn blodau a minnau, er nad oeddwn yn fawr o arddwr, wedi plannu tipyn o datws newydd a thomatos yn y tŷ gwydr. Roedd Enid, hithau, wrth ei bodd hefo'r byngalo a byddai'n mynd am dro ar hyd y llwybr at yr afon ac yn ôl bob bore a phob nos.

Maes o law ymunodd Alun â'r Heddlu yn Aberlleni. Roedd o wrth ei fodd yn cael dechrau ei yrfa lle y dechreuais innau fel cwnstabl. Cawsai groeso mawr gan y cymdogion ac roedd llawer ohonynt yn dal i gofio'i dad.

Dywedodd un perchennog siop wrtho, 'Os fyddi di gystal plismon â dy dad mi fyddan ni'n reit hapus yn y dre 'ma.'

Ar ddechrau 1983, ac Alun Wyn wedi cwblhau blwyddyn ar y bît, daeth fy nghyfnod gyda'r heddlu i ben. Gallwn o'r diwedd ymlacio a threulio mwy o amser gyda'r teulu. Roedd yn edifar gennyf na fuaswn wedi gallu cymryd mwy o ran ym magwraeth Alun, er na chlywais Alun na Glenys yn edliw hynny i mi erioed.

Do, mi gefais barti ardderchog hefo'r hogiau yn y Clwb Criced a chefais gloc arian bach yn anrheg ganddynt. Ar ôl cael llond bol o gwrw mi fentrais ganu fy hoff gân, 'Bugail Aberdyfi', a hynny mewn llais cras iawn!

Ar ôl ymddeol roedd gennyf ddigon i'w wneud o amgylch y tŷ yn ogystal â mynd â Glenys ac Enid o gwmpas y wlad yn y car newydd. Byddwn hefyd yn galw'n aml i weld Ifan a mam a oedd yn dal yn ddygn ar y fferm. Roedd digon felly i hawlio fy sylw a'm cadw'n ddiddig. Ond pan fyddai'r awydd yn codi mi fyddwn yn cerdded fin nos ar hyd y llwybr bach at Bont Manog gan ddisgwyl clywed yr hen lais. Ofer oedd hynny a rhaid oedd bodloni ar sŵn sisial yr afon yn llifo i'r cwm. Serch hynny, bob tro cyn y trown tuag adref byddwn yn sibrwd wrth gysgodion y bont, 'Mi fuost yn ffrind triw iawn, Siôn Cati.'

Gallaf glywed Glenys yn galw arnaf rŵan i baratoi erbyn ymweliad Alun, Lisa a Huw bach. Mi fyddan nhw'n cyrraedd mewn rhyw hanner awr. Fydd hi'n braf iawn cael eu gweld – mae Alun a Lisa mor brysur, mae'n anodd iddyn nhw fedru cael amser i alw draw. O leiaf y byddaf yn gallu rhoi'r anrheg i Huw heddiw. Wrth i mi edrych drwy'r hen focsys yn yr atig mi ddois ar draws fy hen fathodyn PC yr arferwn ei wisgo tra'n gweithio yn Aberlleni. Yn hytrach na'i adael i hel llwch rydw i wedi penderfynu ei roi i Huw gan hyderu y gwneith o gymryd gofal ohono. A phwy a ŵyr, efallai y gwneith yntau ddilyn ôl traed ei dad a'i daid ryw ddydd?